MEMORIA DEL DESNUDO
Ensayos cubanos sobre visualidad corporal

MEMORIA DEL DESNUDO

Ensayos cubanos sobre visualidad corporal

EDICIÓN Y CORRECCIÓN	MARIO ESPINOSA
DISEÑO	LISVETTE MONNAR BOLAÑOS
FOTOGRAFÍAS DE CUBIERTA Y PORTADA	De la serie *Paisajes*, de YURIS NÓRIDO, "paisaje 11" y "paisaje 26"
COMPILACIÓN	© DANIEL CÉSPEDES GÓNGORA
SOBRE LA PRESENTE EDICIÓN	© DISSET EDICIÓ
	© COLLAGE EDICIONES
ISBN	978-959-7233-37-4

ÍNDICE

PRÓLOGO

El vértigo de los vértigos

Cuerpo y erotismo son vasos comunicantes. Causa y efecto. Síntoma y "padecimiento". Para el cuerpo, lo erótico es su corolario más enigmático e intenso, la zona misteriosa en que lo corporal puede convertirse en una abstracción sublime del deseo. A su vez, el deseo sexual es la imaginación puesta en función del cuerpo. Hablo desde luego del cuerpo desnudo, la carne, sus humedades, hendiduras y curvas, su esplendente y sugerente morfología. Entre ambos, como puente tendido, está el tiempo; en el acto amoroso las imágenes y las palabras tienen su propia temporalidad, elástica, relativa. Son temas que se imbrican de manera indisoluble.

En pleno siglo XXI las definiciones (o intentos de ellas) de erotismo siguen siendo vagas o cuando menos imprecisas o insuficientes. Mejor así. La definición de un concepto o fenómeno cualquiera puede representar su límite o encasillamiento definitivo. En una centuria donde las consideraciones sociales y culturales sobre las cuestiones de género (a partir de lo introducido por las teorías *queer* en el XX y las propias prácticas sexuales de las sociedades) no dejan de romper tabúes y clichés de todo tipo, es natural que lo erótico siga siendo un dominio difícil de congelar en definiciones.

Sabemos también que *lo erótico* se mueve en un terreno muy privado. Las experiencias sexuales, la imaginación o fantasías sexuales, el fetichismo, lo instintivo, la vivencialidad del cuerpo, las lecturas y la visualidad (de los medios y en general), en fin, un vasto y plural conjunto de elementos configuran la posición de cada persona ante el erotismo y la sexualidad. Es la expresión más espesa de la intimidad. Este libro insiste en esa certidumbre.

De manera que el volumen, una compilación debida a la idea original del ensayista Daniel Céspedes, uno de los autores aquí recogidos, ofrece una reflexión coral sobre tan inefables asuntos.

Nueve ensayos en los que los enfoques abarcan las diferentes artes y su relación intensa con el cuerpo y en menor medida con el erotismo.

La preocupación por estos temas viene de muy lejos. Ya en el siglo XVI, en el seno de la iglesia católica, las prevenciones hechas por san Agustín sobre los efectos perniciosos de las pinturas consideradas lascivas, tuvieron una seria recepción entre las personas más o menos cultas, al menos entre los creyentes. Se discutió entonces la forma en que actuaba una imagen erótica sobre el vulgo, obteniéndose en todos los casos (fuese explícita o no la imagen) que afectaban al "vulnerable" receptor o degustador. Desde luego que las imágenes de este tipo fueron satanizadas, pues la conclusión era inequívoca, dichas pinturas (con origen sacro o no) buscaban la excitación deliberada de los públicos, efecto que producían con suma eficacia. De entonces a la fecha mucho se ha escrito y reflexionado sobre estos temas. El cuerpo desnudo estuvo siempre en el centro de lo prohibido, de lo deleznable para el pensamiento censor y represor.

Y es que *lo erótico*, llamémosle así, estuvo asociado permanentemente a un triángulo letal para su sobrevivencia: la religión, la moral y la pobreza visual de las imágenes sexuales. La batalla entre lo erótico y esos poderosos contrincantes fue solucionándose con el paso del tiempo, gradualmente a su favor.

El erotismo precisa de imágenes, ya sean visuales o literarias, para estimular la imaginación, la verdadera espuela del deseo, y es la calidad de esas imágenes, cuando hablamos de la representación visual del erotismo, la que determina su expresión. Un erotismo refinado, culto y potente o un erotismo chato, grosero o de poca monta. Tanto Octavio Paz como Mario Vargas Llosa, dos erotólogos de primer nivel, alertaron sobre los peligros de la simplificación del erotismo, de la adicción a la pornografía, del peligro tan común en estos tiempos de que las obras de arte (en cualquiera de las artes) se confundieran con los productos de la más vulgar publicidad comercial. No se puede, o no se debe tolerar que las representaciones del amor y el erotismo se rebajen a niveles primarios, escatológicos, es decir, de pobre y reducida imaginación.

Si se ha avanzado notablemente en destruir tabúes e impedimentos absurdos (como la pesada tapia de la virginidad), en superar moralinas decadentes (como la representación del cuerpo desnudo) y en avanzar en las cuestiones de género (ahora mismo en la sociedad cubana se discute la pertinencia del matrimonio entre personas de un mismo sexo para incluirlo en el texto de una nueva Constitución), desbrozando censuras de toda índole, no se puede retroceder en el presente. Un retroceso sería, por lo tanto, entregar las reflexiones y representaciones de lo erótico a lenguajes (incluido el visual) pobres y reductores como los que provee el mercado, lo porno y la propaganda más cursi; sin obviar lo religioso y lo ideológico, a veces en letal comunión, como ocurre lamentablemente en países donde todavía una mujer adúltera o que solo posó ligera de ropajes para un fotógrafo, es sentenciada a muerte por lapidación.

Hay una reflexión del sabio francés Paul Valéry que siempre me pareció sumamente notoria. El también poeta y ensayista afirmó que un sistema filosófico que no contemplase el concepto cuerpo no tenía valor alguno. Ello da la medida de la importancia que para algunos pensadores cardinales de Occidente tuvo (tiene) el tema cuerpo.

Hoy cuerpo y erotismo están muy contaminados por el mercado (incluyo la pornografía en este rubro) y la publicidad, y más que nunca se precisa y se necesita de reflexiones como las que se pueden leer en las páginas que siguen.

Una pregunta se impone en el presente ¿Existe una epistemología del cuerpo y del erotismo? Desde luego que sí. La lectura de este libro permitirá apreciarlo. El texto es un recorrido, uno de tantos posibles, por zonas del pensamiento cubano actual sobre lo erótico o el desnudo. Ese es su valor principal y esperemos que su circulación rebase los circuitos académicos y entre en coloquial diálogo con los lectores en general. Por lo pronto, felicitemos la idea de Daniel Céspedes y esperemos que muchas personas disfruten de los ensayos aquí comprendidos.

Rafael Acosta de Arriba,
La Habana, agosto de 2018.

POESÍA Y DESNUDO

A Daniel Céspedes

Para un poeta verdadero todo es símbolo. El símbolo es una condensación comunicativa que se comporta como una especie de semilla radiante: lo que vemos es la semilla misma, con su contorno y tamaño; pero ella es también —nadie con sentido común puede negarlo— el árbol de donde viene, y el entorno en que el árbol la produjo, y el árbol que será, con todos sus futuros patrones de conducta. El símbolo es una copa mágica, porque contiene lo que se ve y lo que no se ve; es una cebolla mística, porque lo envuelve todo en capas concéntricas, pero si abrimos cada capa queriendo encontrar algún secreto específico, ya la capa deja de serlo, y de seguir perdemos también la cebolla. Es como si quisiéramos encontrar en la masa cerebral un pensamiento determinado y levantáramos con este fin cada una de sus cisuras con alguna pinza. Ese vapor que se concentra y eleva como un engrudo fabuloso, colocando el esplendor del detalle en la coherencia de la atmósfera, es el impulso de la poesía, que salva todas las fricciones de lo real. La poesía como expresión del mundo constituye la más alta función artística, y es quien provee la absoluta sinergia del símbolo. El desnudo, de cualquier tipo, escorzado o frontal, retiniano o abstracto, implica una proyección simbólica. Es una imagen elaborada por un sujeto, una intencionalidad de formas, una poética de alguna soterrada médula. Hay un principio que deberíamos recuperar en nuestra perspectiva cotidiana, no solo en la práctica de la sensibilidad: es la función quien extrae del fondo la forma. Y el símbolo es la forma más alta y apretada de la cultura, porque es una forma de muchas formas, una función de muchas funciones, la realización más visualizante del fondo.

Todo esto puede ser ejecutado en una representación, que es la tarea básica de cualquier tipo de artista. Pero hay que tener talento para aplicar una función sobre un fondo y suscitar una forma que se convierta en figura. La figura es quien proporciona la imagen, y el arte no existe si no se alcanza la imagen. Así que el artista —el trabajador de imágenes— se verifica en la producción de figuras. Esas figuras han de estar, y de hecho siempre lo están cuando hay arte genuino, gobernadas por una anticipación mental que es de absoluto perfil poético. El proceso creativo del desnudo no solo se comporta como cualquier otra actividad artística, sino que también moviliza la visión global del mundo. Sucede, en los planos ergonómicos, lo mismo que ocurre cuando un alfarero maneja su torno: la arcilla húmeda se eleva entre la presión sabia de sus dedos y adquiere a cada segundo una forma que constituye una aproximación de la imagen pensada. Ya se sabe que entre la imagen pensada y la imagen ejecutada se encuentra la extraordinaria batalla de la creación, que consiste en que una función extraiga de un fondo una forma que logre convertirse en figura, vale decir, que se transfigure, y pueda ser apropiada como representación eficaz de una imagen pensada. Todo este desarrollo de esfuerzo indescriptible, que funciona como un verdadero sortilegio y cuya contemplación produce una alegría especial, o una inquietud resuelta en íntimas reflexiones, es de condición profundamente poética.

No hay nada simple en este mundo. Lo que más abunda es la complejidad. Pero la elegancia de lo elemental existe, y el arte la conoce más que cualquier otra actividad humana. En la elegancia de lo esencial no puede faltar un implacable escogimiento, que llamamos síntesis en el terreno de la expresión: ¿qué obra de arte de verdadera dimensión puede lograrse si no se alcanza el todo con una parte, o con el segmento de una parte, o con el trazo evanescente de una parte? Como ya apuntamos, todo lo que vale en arte es simbólico, pero hay que añadir enseguida que las operaciones más productivas del arte son las metonímicas. Y las metonimias eficaces son las que, desbordando la mera función representativa, se subsumen en la irradiación del símbolo. En arte hay más metonimias que metáforas, aunque la primera impresión parezca contradecir este aserto: siempre se necesita presentar un mundo, para que haya representación, aunque urja de inmediato plasmar un mundo evocado, que nazca de las asociaciones con el primero, y que ofrezca el fino sobrepasamiento que todo arte positivo solicita. Y tanto en el mundo presentado como en el evocado hay que llevar las formas a cuerpos. Todas estas operaciones creadoras son propias de la naturaleza poética, que se presenta en la ejecución del desnudo en arte de manera irrenunciable, sobre todo en su capacidad para ofrecer una jugosa semántica distribucional entre las porciones emblemáticas.

Darle cuerpo a una forma es entrar en el reino de la figuración. La psiquis puede trabajar con ideas puras, o complicadas derivaciones conceptuales de la aprehensión de la realidad; pero idea, en su sentido prístino, quiere decir imagen: no hay otra posibilidad de aprehensión para la psiquis que capturar y elaborar imágenes según determinados vectores de intencionalidad. Y el arte tiene como vector básico la imagen ya trabajada, altamente personalizada, vale decir, sujeta a una intencionalidad. Así que en arte, visto desde cualquier ángulo de entendimiento, hay que poseer una gran riqueza de figuras, y el artista que acumula mayor lexicón del mundo se encuentra en mejores condiciones de representar con eficacia. Esto, que tiene que ver con los procedimientos de la psiquis frente a lo real y lo deseado, también tiene que ver intensamente con los valores desde los cuales la psiquis aprehende y propone. Y el ser humano es una especie muy centrada sobre sí misma: es un gran ojo, y una gran mano, y una estimativa que no reposa: su metabolismo basal es la imagen, y de las imágenes con que la psiquis cuenta, según sus coordenadas axiológicas, extrae todas sus representaciones, las más concretas y las más difusas. La representación cardinal es su propio cuerpo, que es la figuración suprema.

El cuerpo humano es vida en el espacio y tiempo, máquina de existencia para desplegar una voluntad de sobrevivencia y realización en el tramado de lo real y lo posible. Diverge y converge, pero siempre desde sus cuadrantes. Muchas fracciones de su estructura miden lo exterior: los codos y los pies, o miden lo interior:

Psíque reanimada por el beso del amor (1787-1793) de Antonio Canova.

el corazón y el cerebro, ejemplificando al azar, como metáforas de lo tangible y lo intangible. En la esfera corporal se pone la acentuación donde escoja el representador a partir de sus proyecciones y propósitos en una plasmación combinatoria que no conoce bordes fijos, pero que tiene algunas leyes ocultas, intuitivamente detectadas, que se cumplen o transgreden según las evoluciones frente a las formas de los tiempos y los espacios. Así que del juego de la variancia y la invariancia, de lo exterior y lo interior, de lo que nos sobra y lo que nos falta, bajo la piedra de molino incansable que significa nuestra ansia de eternidad, molemos las imágenes del cuerpo según las infinitas posibilidades de la realidad y el deseo. Esta mudanza de representaciones de sí mismo no solo ejecuta lo natural, sino también, y con mucho vigor, lo que el sujeto agrega extrayéndolo de sus abismos en las formas más ensortijadas o lineales, sobre los fondos más tenebrosos o transparentes, a través de las emanaciones comunicativas de sus demonios o sus ángeles.

Pensemos un instante en el *Hombre de Vitruvio*, el célebre dibujo comentado de Leonardo da Vinci, que representa el desnudo de la especie, visto desde su ángulo masculino, como una metonimia simbólica. En este dibujo hay una apoteosis de la representación, al menos en lo que concierne a las relaciones del hombre consigo mismo y el cosmos, y se hallan sintéticamente establecidas las relaciones entre las funciones y las formas a través de la superposición. Aunque la figura es la misma, no lo es, lo que le ofrece un vigoroso dinamismo interno. Da Vinci encontró el modo estricto de presentar el cuerpo y el alma, la tierra y el cielo, la realidad y el deseo, la historia y la poesía, en conjunción saturada de clinámenes, porque la forma, suscitada eficazmente por la función, alcanza plenitud de sentido precisamente en la sutil motricidad de la figura. Sólidamente plantada, orientando sus extremos superiores en el espacio, esta última constituye un cuadrado, símbolo de teluricidad e inmediatez, y tiene como punto central el sexo, que garantiza su reproducción en el mundo. Pero esa misma figura, dinamizándose desde la realidad hacia el deseo, amplía su base y extiende sus manos al cielo, y pasa a tener como punto central el ombligo, símbolo de conexión de la parte con el todo, orbitando desde abajo hacia arriba en una esfera, con lo cual entra en una promisoria ascensión. Solo es posible esta extraordinaria síntesis en que el hombre desnudo simboliza toda la creación en sus complejas relaciones cuando la poesía, como forma de expresión básica y como método de conocimiento absolutamente integrador, se encuentra en el eje mismo de la visión, y desde ese eje figurativo resuelve la representación.

Del mismo modo pensemos en las gunas hindúes, que atribuyen a lo real un flujo vertical de esferas, como una cabal manera de describir la necesidad dinámica de la ascensión: lo tamásico (el mundo atávico y oscuro), lo ráyico (el mundo de la acción y las transformaciones), lo sáttvico (el mundo de la iluminación y la bondad). Una representación trinitaria enormemente plástica de la relación entre la naturaleza, el ser humano y la divinidad, en que se

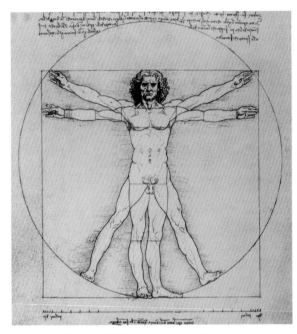

Hombre de Vitruvio (1487) de Leonardo da Vinci

encuentran trenzadas las formas bajo las más diversas funciones, mientras las figuras van de la tierra al cielo dentro del fondo incluyente de lo total. El ser como artífice de la representación, y como sujeto donde todo se filtra y transfigura, adquiere la posibilidad atareada de escoger, la potencialidad de la redención. O puede ser devanado por lo oscuro, lo inerte, el descenso, el torbellino abismal, hasta disolverse definitivamente en el útero zoológico. Se aprende en esta representación, alzada a todas luces con la poesía como método de conocimiento, que de-

bemos vivir con elevada responsabilidad la consecución de nuestra propia imagen. Se intuye, por la eficiencia de la plasmación, la unitividad entre la fatalidad del universo y la florescencia espiritual, y la existencia despliega un hilo optativo que va desde el lóbrego mineral hasta la luminosidad aérea. Del mismo modo, en la representación del desnudo puede sentirse vivamente el descenso del espíritu a través del cuerpo o el ascenso del cuerpo a través del espíritu, en una dinámica telúrica y estelar de la traza recóndita del deseo. En el *Hombre de Vitruvio* hay una escala aglutinante de sentidos, y en la trenza gúnica una apropiación de valores. Toda buena representación suscita y entrelaza con maestría la trinidad más alta del conocimiento: las figuras, los sentidos y los valores, como tres atmósferas cofundantes de la misma intervención antrópica. Solo la poesía proporciona una mirada que aúna lo ético y lo estético, y establece una escala de atributos de valor cósmico que contiene las cifras ya desplegadas del mundo interior.

El gran asunto de lo humano es lo humano, y el arte es el polígono donde cada individuo expresa y reconoce su compleja sustancia agónica y deseosa. El arte es la franja de cruce, la extraordinaria puerta hermética, el espejo por donde se entra y sale de la angustia, el enigma,

Edipo y la Esfinge (1808) de Domique Ingres

pre con mirada inalienable de individuo y de las conglomeraciones donde ha vivido, estableciendo sin reposo robustos arcos voltaicos entre la soledad y la solidaridad. Su cuerpo en el medio, cubierto o descubierto, presentándose o re-presentándosele siempre. Pero el cuerpo descubierto es el gran signo, es la figuración suma, donde las civilizaciones muestran cómo funcionan las formas emergiendo del fondo. Ese gesto es obligadamente de carácter simbólico, y el arte no lo olvida jamás. Quien mira un desnudo representado tiene ante los ojos una mandorla mágica, un mándala para entrar en el paisaje interior de un individuo o en las proyecciones imaginales de un pueblo.

Es mucho lo que aporta en sentido el examen de la vestimenta, y averiguar de qué modo se consigue, y cómo se usa en cada circunstancia: ver pasar delante de nuestros ojos el discurso de los vestidos sobre la tierra es una de las novelas más curiosas y coloridas que pueda existir. No hay nada mejor para estudiar los sentidos probables del desnudo que examinar la evolución minuciosa de los trajes. Contemplar lo que escogió cada cultura en su devenir para protegerse de la intemperie, cuándo se vistió de lino o de hierro, con qué se cubrió en cada época, en cada estación, en cada trabajo, en cada edad, según sexo o condición, qué

lo terrible, la alegría y la esperanza. Al mirar hacia adentro o hacia afuera cada ser atraviesa siempre su propio cuerpo, en cuyo escrutinio, ejercicio, sabiduría, interlocución y goce revela sus más encontradas raíces y frondas. En ese afán lo acompaña el arte desde el mismo arranque, como una profusión plasmadora que no conoce término, y que colma su presencia en el espacio y el tiempo. Así mismo se ha visto siem-

consideró canónico o transgresor, cómo se cubrió y adornó para las ocasiones riquísimas de su existencia personal y colectiva, es fuente inagotable de seducción y saber. Bastarían solo cinco momentos de esa historia para una fiesta de los sentidos, en las dos acepciones del término: el crecer, el contraer matrimonio, el producir bienes físicos o espirituales, el guerrear y el especialísimo pasar hacia la muerte. Cuánto habla de lo cubierto lo descubierto, y cómo pueden saberse cuáles son las álgebras y fantasías que puede permitirse lo cubierto según las razones estructurales de lo descubierto. Cómo saben los artistas plásticos en las representaciones de los cuerpos dónde van, y en qué medida, y hacia qué dirección, las hechuras y los pliegues, los brillos y las penumbras, según la arquitectura anatómica y el repertorio de los ademanes. Mucho se adivina en arte, por énfasis o sugerencia de lo visible, qué existe en lo invisible.

Para entrar en lo invisible el más agudo catalejo y la más fina brújula se encuentran en lo visible. Y qué más visible para el ser humano que el dibujado recipiente material en que transcurre su existencia, del cual sabe mucho y sabe poco, en una misteriosa dialéctica que el pensamiento dicotómico, ajeno al arte, no comprenderá jamás. Su propio cuerpo le resulta a cada individuo una trivialidad y una fascinación infinitas. No hay nada que conozca mejor y que desconozca más. Sabe que está ahí, eyectado, como le gustaba decir a Heidegger, y refractado para sí y los otros, y adentro de la única posibilidad que la materia le proporciona a su destino. Con sus propios ojos se mira, y se mira con los ojos de los demás, y en los cuerpos de los otros pone sus ojos, y presupone cómo pudo haber sido y cómo ha de ser en lo venidero. Es un nivel de exploración, diálogo e influjo que gusta de licuar sus contornos, por lo que no reposa verdaderamente nunca, y gasta todo un arsenal de objetos y procesos para su reconocimiento y consumación. El arte del desnudo, en cuanto pone ante la vista toda esa constelación mental, es zona fuertemente cruzada de escalas donde espejean con fuerza muchos silencios y se inscriben innumerables códigos de servidumbre y libertad. La desnudez es la piedra de toque de la representación artística de lo directamente humano, y se mueve en un espectro enorme que va desde el niño desnudo dormido sobre una hoja hasta la febril sexualidad del plástico rapto de unas mulatas. El desnudo es con imponente frecuencia testimonio erótico, porque el sexo es una de las fuerzas vitales básicas de nuestra existencia, pero su riqueza y complejidad enunciativa va mucho más allá y abarca la globalidad de lo humano, con espíritu mural propio de la poesía.

Así como el árbol es un eje trascendente de la visión del mundo en las culturas conocidas, también lo es el cuerpo en sus múltiples manifestaciones, y sobre todo el desnudo, como expresión simbólica de la naturalidad y la verdad humana. La idea general de la pareja, hombre y mujer, de pie en medio de la naturaleza, parece ser el emblema característico de nuestra especie, y la heráldica planetaria de donde germina la estirpe. Por razones estrictamente físicas y biológicas el cuerpo desnudo es como un árbol catedralicio en medio del tiempo y el espacio del que se nutre informativamente la vida humana frente al flujo y la extensión de lo real. Hay en ese cuerpo desnudo una geometría sagrada, y una fractalidad esotérica. Hay una cisterna atávica, un géiser instintivo, una pulsación astral. Hay un mapa del mundo, una tópica del símbolo, una armonía esférica que ofrece catastro y vértigo para todas las brotaciones. Cómo no habría el arte de trabajar denodadamente con sus giraciones y volúmenes, con sus convulsiones y equilibrios, con sus ensoñaciones y desquiciamientos. A partir del cuerpo desnudo se desarrolla la semántica distribucional del arte. Y las imágenes adquieren familiaridad y connotación, y el artista logra reflejar el todo desde la parte gracias al milagro representativo de las metonimias simbólicas, que con solo un puño visualizan la voluntad, con solo un hombro la solidaridad, con solo una frente la dignidad, con solo un pie alado la extensión, con solo un vientre la fertilidad, con solo un muslo levemente separado del otro la más alta temperatura del deseo, con solo un rizo la voluptuosidad, con solo el lóbulo de una oreja la languidez, con solo un índice el camino hacia la meta, con solo un ojo la eternidad de Dios... Los mecanismos opsilógicos de la representación del desnudo son torrenciales, y suministran a los artistas de todas las manifestaciones una abundancia discursiva olímpica acerca del universo y el mundo interior.

La poesía es la reina de las artes: trabaja con la palabra, el más enérgico instrumento de representación conocido. Ninguna otra manifestación artística puede trasmitir el ancho espectro que la poesía transfiere, gracias precisamente al asombroso vehículo que emplea. El poder representacional de la palabra incluye productivamente cada uno de los analizadores, y en el cultivo de cada uno de ellos ha alcanzado cumbres de plasmación, y es capaz de instaurar nuevos vínculos entre estos analizadores, penetrando con eficacia en zonas muy difíciles de la realidad, vedadas para otras artes. Bien sabe el poeta que la palabra resulta realmente limitada ante el vivísimo racimo de imágenes, altamente móviles, impregnadas de emoción y pensamiento, que atraviesan vertiginosas el ojo interior de la memoria y el sueño. Bien sabe que esas palabras pertenecen a los idiomas respectivos, y que las aduanas lingüísticas reducirán drásticamente el número de participantes en el acto supremo de la comunicación. Pero a pesar de ello, la poesía ofrece una plétora informativa portentosa de carácter especial, que explora con velocidad y validez zonas totalmente desconocidas de la realidad y el espíritu. La poesía domina fabulosamente el mundo interior, la inefable patria de lo subjetivo permanente. Todo lo plasma a través del mundo interior, todo lo convierte en simultaneidad viva, a pesar de que los lenguajes son secuenciales: todo lo vuelve presente eterno, a pesar de que los lenguajes son cadenas temporales. Todo lo convierte en imagen profunda del sujeto, y de las relaciones del sujeto con los planos de lo que existe dentro y fuera, factual o probablemente. La poesía pinta, esculpe, danza, sinfoniza, filma, asocia, sacude, conmueve, interviene con explosiva síntesis en la médula recóndita de sus receptores.

La poesía es la lengua del espíritu: plasma una simultaneidad interior a través de una exterior consecución de cuerpos. Dado su antropomorfismo esencial, toma al cuerpo como

La musa Calíope (1640) de Leonhard Kern.

lengua del alma. Todo lo exterior se encuentra interiorizado, todo lo interior se encuentra exteriorizado. En su seno las palabras avanzan indetenibles en un flujo indiviso que despliega de continuo anillos simultáneos de espesa irradiación. Todo lo espiritualiza y corporaliza, simultáneamente; ella es cuerpo, y da cuerpo al cuerpo, es alma, y da alma al alma, o mejor aún: corporaliza y almifica integralmente, dentro de una inusual figuración, y no solo porque se encuentre inscrita en palabras, lo que añade peculiaridades muy fuertes a su comunicación, sino también porque es un instante divino de síntesis, que se alcanza por una incandescente necesidad interior. La poesía constituye el más alto lenguaje figurativo, y en ella cada palabra cae radiosa en el agua del símbolo, suscitando inacabables anillos evanescentes. Entra en lo inefable con redes plásticas, y yergue cuerpos latientes que comunican ondas desconocidas. Incluso cuando solo quiere describir, y se sujeta a lo cotidiano en la enunciación o el asunto, siempre tiene una ascensión comunicativa que procede directamente de su anhelo esencial de unidad. Al movilizar el interior de modo tan vinculante y total, el hablante lírico adquiere un recuerdo y una lucidez increíbles, y no abisma al cuerpo y el alma, sino que, aunque los enfoque por separado, los orbita en una

esfera superior única: sabe que está en cuerpo, porque siente en vilo el alma, como han expresado los poetas: se siente corporal de espíritu, y espiritualizado de cuerpo. Mientras, en otras artes se tiene que recurrir a una suma alegórica determinada, esta simbiosis la poesía la proporciona con naturalidad en un solo enunciado, pues el que comunica nunca se desliga de lo comunicado, en una instantánea y febril búsqueda del equilibrio utópico.

El desnudo es motivo recurrente de inspiración poética, en cuanto la preocupación por el cuerpo propio y el fervor por el cuerpo deseado es uno de los grandes motivos de la lírica en todos los tiempos. Las actitudes expresivas ante el desnudo pueden diferenciar lo sexual, lo erótico, lo amoroso, e incluso la celebración de la belleza o la indagación ante los misterios de la atracción. Porque, a diferencia de su manifestación en otras artes, en la poesía son más complicadas sus coordenadas de representación. Al estar inscritas las imágenes líricas en signos lingüísticos adquieren otras modalidades y direcciones de ejecución. En la poesía lo espacial debe ser inscrito en lo temporal, y lo simultáneo en lo secuencial, y solo después de una eficiente encarnación artística, que exige notables cuotas de talento, se reactiva en la recepción, a una velocidad milagrosa, lo que ya estaba configurado en la mente del emisor. Entre la imagen de partida y la imagen de llegada media un proceso participante, notablemente diferido en la poesía escrita, que exige mucha pericia expresiva y una gran colaboración psicológica. Ante las artes espaciales como la escultura, por ejemplo, disfrutamos el desnudo en todo su volumen, pero en la poesía no solo tenemos la secuencialidad dirigida de los atributos, sino también la representación del hablante lírico, todo en un sólido y único ademán comunicativo. Como afirmaba Lessing, la belleza de Helena no puede plasmarse por el poeta como la propone el pintor. Para la poesía resulta más eficaz describir, a través de una hipérbole, el impacto que su belleza produjo al generar una contienda. La poesía es bifronte: por un costado se encarga de su asunto, y por el otro costado se encarga del hablante, y todo transcurre en un solo discurso, de envidiable compacticidad. Lo que consigue parece insólito, y es en verdad desacostumbrado, por la escisión espantosa en que vivimos cotidianamente, y es un raro instante aquel en que algún prójimo, dotado de suficiente gracia, alcanza en la compaginada expresión de sus desarmonías la restitución divina de la pérdida, la resurrección final de la convivencia.

La poesía cuando adquiere condición poemática semeja un pastel de hojaldres: es un solo cuerpo alzado con muchas capas, y cada una carga brío y esmero donde trabajan tanto lo consciente como lo inconsciente, y donde la habilidad del artífice ha de revelarse cuantiosamente. No basta con nombrar en un verso una cadera o un pubis, porque no se trata de una cartografía frontal: el circuito transferente donde se enciende la cadera o el pubis debe acompañarse de un atento halo eléctrico, de modo que la luminosa vibración permee con empuje todas las capas constitutivas. Una sola capa semivacía o muerta para la enunciación derrumba al pastel, cuyo sabor disminuye y reduce su irradiación. Pero donde en verdad ganan condición expresiva la cadera o el pubis es en la actitud lírica del hablante, cuyo discurso ha de remover lo nombrado hacia zonas de radiante floración. Se trata de que la poesía es lenguaje exponencial que pone en fluyente red un plasma de alucinante congregación. La poesía es plasmación, se conduce análogamente a ese cuarto estado de la materia, solo que suma con creces otra propiedad que organiza sustancialmente al universo: la información. La poesía es la energía y la información del mundo interior, elaboradas sabiamente en un curso de palabras que consiguen inolvidables imágenes. Es así con todos sus asuntos, pero mucho más con el desnudo, y sobre todo con el femenino, que goza de una redonda belleza intrínseca y funciona como modelo altamente representativo de las conjunciones formales de la vida y el universo. La inagotable facultad del cuerpo femenino de generar asociaciones naturales y registros espirituales es asunto permanente de toda la poesía. En medio del abanico de posturas sexuales, y de todas las orientaciones conocidas, el desnudo en la poesía cuenta con una tradición que se pierde en la noche de los tiempos, y suma nuevas exploraciones en la búsqueda inexpugnable de la más cabal plenitud.

Frente a otras artes, la poesía incluye los mundos presentados y, con insistencia multiplicadora, los mundos evocados. Posee una sintaxis de mayor flexibilidad y completamiento. El representador modela una constelación de representantes, vale decir, de bisagras de enunciación entre el sujeto lírico y sus predicados estilísticos y temáticos. Tiene como tarea expresiva presentar el desnudo con una resolución peculiar, como pudiera hacerlo el ojo plástico. También ha de plasmar simultáneamente el discurso emotivo-figurativo del ojo lírico que lo escorza en el espacio interior del poema con la presencia del mayor número de predicados posibles, que convierten a la comunicación poemática en una oración flameante, de singular temperatura semiótica. Por eso la poe-

sía que solo quería ser pintura, la parnasiana, fue realmente una episódica aventura, pues la plasticidad inherente al arte lírico contiene un volumen de información sin paralelos posibles. Pensemos en aquel memorable soneto de Miguel Hernández en que el poeta describe a una joven pisando uva en el lagar para extraer el mosto.[1] El mundo presentado es una sencilla escena de trabajo agrícola, pero el poeta eleva la representación a uno de los más bellos cantos de amor de la lengua. El poeta, en el cuerpo de la representación a través del hablante lírico, plasma lo que su ojo ve, lo que su corazón siente, lo que su imaginación evoca, todo dentro de un solo flujo imaginal y acústico, resuelto de modo que el discurrir de la enunciación se asienta magistralmente sobre las pautas concertadas. No solo está dibujada la joven, saltando con sus blancos pies sobre las oscuras uvas, separando con sus plantas los hollejos de las pulpas, sino que nos identificamos con la visión y las sacudidas emocionales del hablante. El poeta no puede dejar de evocar al mundo cuando observa a la joven danzar en la labor: a través de sus ojos deslumbrados por la blanca

---

[1] Ver el soneto "Por tu pie, la blancura más bailable" en: *Miguel Hernández: Antología poética*. Edición conmemorativa, José Luis Ferris (selec), Espasa Libros, S. L. U., Madrid, 2010, p. 118.

belleza de los pies descalzos ve cómo una paloma sube hasta la cintura y cómo baja hasta la tierra un nardo infinito, en una fina elaboración del mundo evocado. Los pies son desde el principio mismo una fuerte metonimia simbólica de todo el cuerpo femenino, se singulariza lo plural, y convocado por el atrayente golpe rítmico baja el corazón del poeta hasta el racimo macerado, solicitando el contacto total. El impacto visual del pie desnudo ha bastado al representador estremecido para que el universo íntegro, en sus atributos de movida blancura, participe apasionadamente en la fuerte vivencia de la poesía.

Como hemos visto, en la poesía se pueden alcanzar niveles de representación con el desnudo de una sutileza enorme, absolutamente desconocidas por otras artes, que siempre de algún modo, por muy sugerentes que sean sus acercamientos y símbolos, necesitan más área referente, más íntimo despliegue corporal. Estas potencialidades de la representación lírica se deben a los procedimientos que hemos esbozado ya, pero que realmente se encuentran sin examinar detalladamente en un estudio comparativo de las artes en el manejo imaginal. Pensemos en una breve canción martiana que trata del ardiente deseo del sujeto lírico de desenredar la cabellera de una hermosa

señora.[2] Toda la pieza está teñida vivamente del impulso erótico, pero también muestra una refinadísima contención, que ofrece al gesto del apasionado una delicadeza honda, que ennoblece la erupción instintiva. La hermosa llega a estar íntegra en una sola parte mínima: la separación posible de algunos de sus cabellos que dejarían al descubierto su blanco cuello, cuya visión sería ya un colmo de intimidad. Parece un susurro al oído la tonalidad discursiva, pues el sujeto no se encuentra frente a la silenciosa interlocutora, y la palabra, que posee cierta letanía tímbrica, lo que anhela es a través del tacto alcanzar una visualidad más intrínseca. El silencio de la señora podría ser, según las expectativas del discurso, una manera de complicidad que añadiría vigor al deseo. Es una pieza que difícilmente pudiera ser trabajada por otras artes en los términos establecidos, y que la poesía en manos de un creador auténtico resuelve con rapidez, musicalidad y expansión comunicativa.

De igual modo, si el desnudo avanza en su representación y eleva la temperatura del deseo, el sujeto lírico es siempre el portador de lo que se ve y siente, de lo que se incluye como predicado esencial en la voz representante.

---

[2] Ver la composición XLIII, de *Versos sencillos*, en: José Martí: *Mis versos. Ismaelillo. Versos libres. Versos sencillos.* Editorial Letras Cubanas, La Habana, Cuba, 2005, p. 243.

Aunque a la poesía le basta una brizna para engendrar un paisaje, el vector de intencionalidad reduce o amplía, enfoca o desenfoca, satura o vacía, sube o baja las temperaturas, según sus necesidades y propósitos comunicativos. Las potencialidades del desnudo son tan enormes al asentarse sobre las resonancias plásticas de la palabra que se puede ir y venir del amor al desamor, de la gelidez al fuego, del gozo al sufrimiento, de la violencia a la ternura, del sentimiento a la reflexión, en una oscilación de registros numerosísimos. Como la palabra puede reactivar los cuerpos reales y deseados parcial o totalmente a través de todos los sentidos conocidos, no solo los acústicos o visuales, e incluso establecer enlaces de carácter sinestésico sorprendentes entre ellos, el poeta disfruta de un arsenal muy poderoso para el abordaje del desnudo. Pensemos en algún soneto erótico de Carilda Oliver Labra, maestra indiscutible en la plasmación de la relación íntima de los cuerpos. En el que se titula "Te mando ahora a que olvides todo"[3] conmina a su amante a olvidar su seno, su muslo, su cintura, su piel, en acto de desamor que se torna, por la predicación que acompaña cada parte que debe ser olvidada,

en una reavivación inflamada del amor que entra entonces en frenesí reminiscente de entrega hacia los versos finales. Bajo la orden de olvidar se pinta a sí misma, y lo que su desnudez promovía en el amante, hasta recordar como de ahora mismo el furor incontrolable que despertaba su ofrecimiento. Hay en este soneto una gran sabiduría representativa, pero en toda la obra de Carilda brilla una capacidad admirable para la representación del desnudo y sus predicaciones más genuinas y profundas. Solo la poesía puede mover con éxito esta complejidad provocada por los sentimientos corporales.

Pensemos otro soneto, ahora de Rubén Martínez Villena, que tiene por trama la relación entre un amante audaz y una amada "marmórea".[4] Ella ofrece una helada resistencia ante el embate del deseo, hasta que el cálido vértigo amoroso la acaba envolviendo y al fin se doblega en un gemido. Una leve ambigüedad recorre la composición: ¿es una mujer que ha dejado de ser estatua o es una estatua que se ha tornado mujer? De mano maestra se representa una batalla simbólica que gana el Placer a la Majestad. Aunque tiene otras muchas posibilidades interpretativas, como toda ejecución

---

[3] Ver el soneto en Carilda Oliver Labra: *Desnuda y para siempre*, Editorial Ácana, Camagüey, 2016, p. 65.

[4] Ver "Soneto" en Juan Nicolás Padrón (selec.) *Rubén Martínez Villena: El párpado abierto. Antología poética*, Editorial Letras Cubanas, La Habana, Cuba, 2004, p. 89.

de absoluta validez, por cuanto el montaje expresivo de cualquier representación, si entra en lo simbólico, adquiere un carácter poliédrico. Plasmado con una precisión metafórica envidiable, y con una adecuación eficaz entre el plano compositivo y el temático, el texto connota también el triunfo de lo vital sobre lo inerte. Hay un rápido contraste de campos semánticos, y el que porta el sujeto lírico transforma al otro, que no puede sostener su indiferencia. El vocabulario posee un gran dinamismo sexual, que se acentúa por las asociaciones con que se visualiza el cuerpo femenino, visto desde el plano glorioso. Rubén Martínez Villena es un gran artífice en la representación de lo erótico, como lo confirman muchas piezas suyas, de disímiles acercamientos llenos de plasticidad y simbolismo. En su vida breve, ofrecida con unción al apostolado de la redención social, alcanzó a representar con asombrosa eficacia artística la fosfórica relación de los amantes. Es uno de los mejores poetas cubanos de todos los tiempos en el tratamiento de esta visualización íntima. La poesía cubana contiene muchos cuajados ejemplos de esta proverbial relación entre la poesía y el desnudo. Como todo mural verdaderamente lírico y humano, ofrece profusas espigas de oro, medallas dinámicas donde el cuerpo y la poesía se encuentran en una fructuosa y sólida unidad.

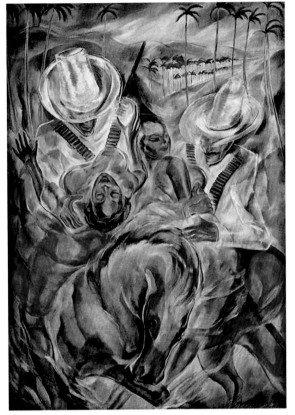

El rapto de las mulatas (1938) de Carlos Enríquez.

En cuanto la poesía tiene como ministerio básico acompañar al ser humano en toda la anchura, profundidad y altura de su existencia, y el desnudo es uno de los contactos sensoriales con toda la miseria y riqueza de la realidad, con todo lo grotesco y sublime que rodea el destino de los individuos, desnudo y poesía se encuentran con mucha frecuencia en la vocación representativa de las personas y los pueblos. La inocencia, el desamparo, la miseria, la salud, la perversión, la alegría, el infortunio, el amor, el erotismo, el sexo, la agresión, la ternura, la distorsión, lo perfecto, lo profano, lo divino, y una escala infinita que va desde lo más tamásico hasta lo más sáttvico, han atravesado la representación del desnudo en todas las artes conocidas. Pero la poesía, que es cúspide humanizada y humanizante, conoce como arte las veladuras, las transparencias, las sugerencias, las elipses, los montajes, las sustituciones, las transferencias, las contigüidades, las analogías, los emblemas, las condensaciones semánticas, las almendras elocuentes de los símbolos. La poesía es el paroxismo insondable de la introspección, y el testimonio de lo que permanece en el sujeto. Tiene que ver con el humus, y tiene que ver con la pértiga. Está en lo que se mueve hacia el pasado, y está en lo que se mueve hacia el porvenir. Es siempre un presente con anhelo de eternidad. Puede ser un descenso, pero para acabar ascendiendo de alguna manera, aunque sea invisible. Puede ser un ascenso directo, pero no olvida nunca la materialidad del ala. La poesía y el desnudo pueden encontrarse en cualquier esfera de la actividad humana, desde el templo al paraninfo, desde del aula al hemiciclo, pero cuando se juntan se van directamente al mundo interior de los seres humanos, y allí adquieren el relieve y la proporción que les corresponden dentro de la más concertada espiritualidad. La poesía no es solo una técnica de representación, sino sobre todo un método de conocimiento.

Roberto Manzano
Párraga, abril de 2018

ROBERTO MANZANO (Ciego de Ávila, Cuba, 1949). Poeta y ensayista. Premio de Poesía Nicolás Guillén, de México, 2004, y de Cuba, 2005. Premio La Rosa Blanca de Literatura Infantil 2005. Premio Samuel Feijóo por la Obra de toda la Vida 2007. Tiene numerosos libros publicados. Ha impartido conferencias y recitales de poesía tanto nacional como internacionalmente.

EL ABRAZO
DE LOS SENTIDOS

La obra de Servando Cabrera
Moreno.[5]

Servando Cabrera Moreno ha sido un artista reconocido y admirado por lo vasto de su visualidad, la cual se ofrece dadivosa en todas sus
etapas, en las que los temas —aunque en dialéctica articulación— muestran la versatilidad
de este creador, para abordar diferentes aristas, ora de la vida social, ora de las más íntimas
tribulaciones del ser humano.

En ese sentido, su poética puede ser comparable con la obra cinematográfica de Tomás
Gutiérrez Alea, en ambas propuestas, la historia y el hombre, en sus contradicciones y dile-
mas existenciales, se ven reflejadas, con altos

El abrazo de los sentidos (1981) de Servando Cabrera.
Colección Museo Biblioteca Servando Cabrera Moreno

---

[5] El texto fue dado a conocer, en versión oral, en el Coloquio
*El Erotismo y Homoerotismo en la obra de Servando Cabrera
Moreno*, celebrado en la Biblioteca Nacional, en los días 26 y
27 de noviembre de 2013 y organizado por el Museo Biblioteca
Servando Cabrera Moreno, a propósito del noventa aniversario
del natalicio del artista.
   El título del texto se corresponde con el de una de sus obras.

e indiscutibles valores en los planos analíticos y estéticos. Pero su crecimiento más connotado está en esa irremplazable obra de gigante dimensión sensorial, con la cual parece que se ha entablado una relación casi mítica.

Recuerdo dos momentos de solaz sugestión cuando, a propósito de la investigación para el Trabajo de Diploma de Pregrado, mi colega Concepción Otero y yo estuvimos frente a *Homenaje a la Soledad* y *Silencio* en los almacenes del Museo Nacional de Bellas Artes. Para entonces, había visto poco de las obras de mayor densidad erótica. La otra experiencia fue durante mi visita a la casa de Servando Cabrera en 1982, donde todo evocaba su presencia.

Como a muchos, me impresionó su personalidad meticulosa reflejada en la naturaleza y disposición de sus peculiares colecciones, pero sobre todo disfruté de piezas que siempre estuvieron allí, en los espacios más entrañables, obras en las que el erotismo reinaba en su preeminencia vital.

Pero antes de abordar la erótica en la obra de Servando Cabrera Moreno, creo preciso referirme primero a uno de los artistas que, desde el temprano cambio que significó la Vanguardia, pensó y declaró en sus textos visuales, una nítida orientación hacia el complejo dominio de la sexualidad y el erotismo: Carlos Enríquez.

Este giro no responde a un apego escolástico o al método histórico-lógico, sino sobre todo al reconocimiento de la dimensión de la autonomía y la jerarquía del tema dentro de su poética, al tiempo que, reconsidero en mi suscripción, los nexos evidentes entre ambos artistas a los que haré referencia, y que fueron distinguidos en el texto del crítico Gerardo Mosquera "Servando Cabrera Moreno: coherencia toda la pintura", de su libro *Exploraciones en la Plástica Cubana*, publicado en 1983.

En una carta, dirigida a Guy Pérez Cisneros, publicada en *El Nuevo Mundo*, el 7 de septiembre de 1941, Carlos Enríquez comenta: «el sexo en Cuba fue y será una necesidad de expresión-ambiente, pues entonces como ahora la Isla temblaba lúbricamente, por sus partes más estrechas como por las más anchas».

En otro fragmento de la misiva declara: «pisamos sobre una manigua ardiente donde tras cada matorral nuestra imaginación sospecha la carne, la lujuria, el pecado batallador y el estremecimiento erótico». Visualizo entonces sus paisajes más voluptuosos y, por supuesto, *El rapto de las mulatas*.

No es posible renunciar a repetir que sus obras eran plenas de sexualidad, formas orgánicas, volúmenes provocadores, en gesto mimético de la abundancia natural de los cuerpos y la naturaleza, en una suerte de continuum. Pero hay más *El rapto de las mulatas* rebosa en esa lubricidad que él advierte en verbo y que traduce en las transparencias, veladuras del texto visual.

Sin embargo, al valerse del rapto como pretexto, desborda la violencia expuesta en la dinámica de la composición, los escorzos de los caballos y los desnudos femeninos, en aparente resistencia. Sí, porque los rostros nos hacen sospechar de un displacer para sugerir una casi pactada y provocada "captura", un goce en el desenfreno y la desmesura del instinto sexual,

donde como anotara Freud, se reconoce el "eros". Y precisamente el terreno del erotismo, como diría Bataille, es esencialmente el terreno de la violencia.

Mas no todo es explícito en la representación; la argucia camufla, a través de lo simbólico, la referencia directa a lo fálico. Si bien es exhibida la exuberancia de los senos femeninos, el falo parece sugerido en los puntuales asomos de la verticalidad del arma sostenida por una de las figuras masculinas cuyo rostro Carlos Enríquez decide ocluir en las veladuras del sombrero, aunque uno puede adivinar el

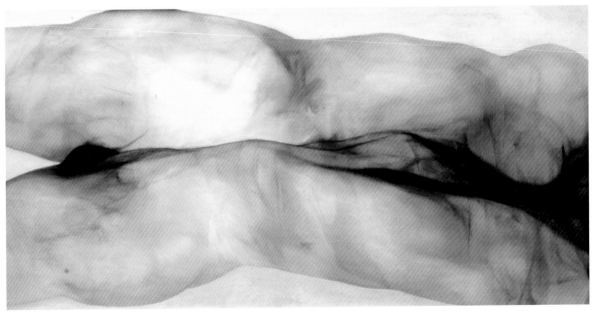

Silencio (1970) de Servando Cabrera. Colección Museo Biblioteca Servando Cabrera.

firme deseo de posesión, y con ello también la exhibición de la relación de poder.

Igualmente creo posible advertir la prolongación de las proyecciones fálicas en la sugerente presencia de las palmas. Involucradas en la dinámica de una escena que debe su articulación a la bien estructurada composición, resuelta a través de espirales, líneas en diagonal que se cruzan, abundantes escorzos, todo en función de una atmosfera y acción convulsas.

Las simulaciones transgresoras también estuvieron presentes en las obras de Carlos Enríquez cada vez que frente a tanto remilgo burgués en plena república, propusiera escenas de signos homoeroticos. Reconocibles aparecen en la obra *Las bañistas de la laguna* que recrea el baño de dos féminas, cuyos intercambios ocluidos son precisamente los resortes que avivan los intersticios sémicos de la aparente anodina representación y en la que se advierte tanto el escarceo, como la obliocuidad propios de la erótica.

En este caso, también pienso en la relación antinómica de un acto que transita entre lo privado y lo público. El homoerotismo femenino es perseguido, literalmente "tachado". Ya desde el siglo XIX, es visto como la aproximación más escandalosa y de carácter excepcional. En contraposición franca se va construyendo una sociedad fundamentada sobre los términos de masculinidad, donde ni mujeres, ni "invertidos" —como fuera referencia a las personas de orientación homosexual— formaban parte del paradigma social de la nación, lo cual está recogido en documentos de la época.

Claro, no considero en modo alguno que Carlos Enríquez abogara entonces por una emancipación, una declaración liberadora. Su temperamento irreverente parece haber sido el móvil que avala la colocación de esta dimensión erótica y en consecuencia, sus afrentas.

Mas el azar me condujo al encuentro de los síntomas más reveladores de la audacia de este artista, cuando en el verano reciente disfruté de un texto de notable interés a cargo de Beatriz Gago, en la edición No 12 del Correo del Archivo, que es liderado por el riguroso investigador y crítico José Veigas, en el que la autora redescubrió para mí, las recreaciones de Carlos Enríquez sobre doce de los sonetos eróticos de Aretino.

Atendí a la monumentalidad erótica de la reveladora frontalidad de los dibujos desmedidos, generados desde un gesto contestatario, que me condujo a visualizar incluso —en mi tendencia especulativa— muchas de las escenas de los clásicos de shunga, a saber, Utamaro y Hokusai, por el tratamiento de las composiciones, la desmesura de los falos, las desprejuiciadas posturas de los cuerpos en su enlace e intercambio amatorio, gozoso. No pude menos que pensar en la altisonancia de un pensamiento de vanguardia, en la propuesta de alteración de paradigmas representacionales como el de Carlos Enríquez.

Admito que hay lecturas especulativas, pero me apego a la reflexión del teórico José Luis Brea acerca de que «no es tarea de la crítica, propagar la fe en los objetos que analiza: sino, al contario, poner en evidencia las trampas sobre las que esa fe se instituye».[6]

En obras como *El matorral* (1974), *Los mejores días de nuestro año* y *Paisaje para el próximo siglo*, (ambas de 1975) entre otras del periodo, Servando funde expresividad y delicadeza, propios del erotismo que, ya sabemos, suscribiendo el análisis de autores como Chlusmky, se dirige a un placer intelectual. Lo que es para mí la dimensión del símbolo en la aprehensión de las sutilezas luego expresadas en la representación de la relación sexual.

Quiero inferir que en la intensidad de toda su obra épica, en la cual no me detendré, asomaba, en las férreas estructuras anatómicas, los atisbos del deseo y la voluptuosidad del eros

que se ofrece ya en los años 1962 y 1963 en desnudos y formas que comienzan a insertarse luego en obsesiva repetición.

Ya se sabe que buena zona de la obra de Servando Cabrera ha transitado por la ambigüedad, que en mi opinión enriquece, modela el deseo y amplifica los tonos perceptivos referidos a la erótica. Y más allá de los momentos de contención, la invariante en su poética es ese deseo como metáfora liberadora de una contracción impuesta por la verticalidad falocéntrica. Como quizás ningún otro artista, la erótica en su obra fue un asidero comparable con la vida. «El eros es conservador de la vida», aprecia Freud.

Nada más eróticamente explícito que la declaración de Servando, tras el infarto sufrido en 1967: «La enfermedad mía fue muy grave, y yo me afiancé a la vida de una manera tremenda, con gran alegría. Los cuadros de esta época fueron muy violentos: aparecían los órganos genitales con mucha satisfacción de estar en la tierra, como están los frutos o están las flores».[7]

Ciertamente las obras del periodo desatan la voluptuosidad de la carne. En verdad hay violencia, una alusión menos contenida a la unión

---

[6] José Luis Brea: "Pequeños y raros incidentes. A propósito de Funny Games", en: *Sin Pudor (y penetrados)*. Aduana Vieja Editorial, Valencia, 2013, p. 185.

[7] Servando Cabrera en: Gerardo Mosquera: "Toda la pintura" en: *Exploraciones en la Plástica Cubana*, Editorial Letras Cubanas, La Habana, 1983, p. 149.

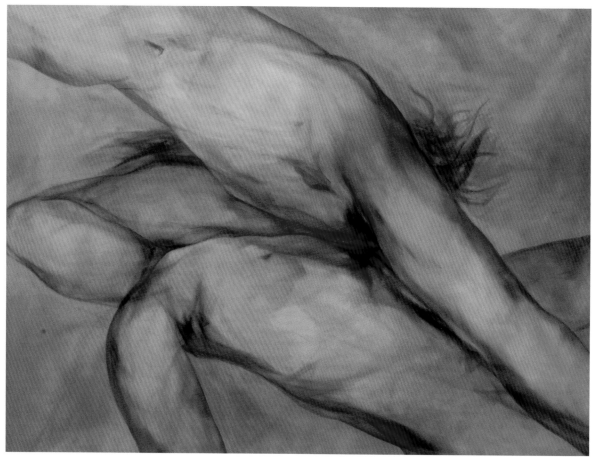

Las hojas de otoño caen en la meseta (1977) de Servando Cabrera. Colección Museo Biblioteca Servando Cabrera Moreno.

sexual. Y vuelvo a Bataille, esta vez para anotar que no solo la violencia es parte constitutiva del terreno erótico, sino para connotar metafóricamente su observación de que «toda operación de erotismo tiene como fin alcanzar al ser en lo más íntimo, hasta el punto del desfa-

llecimiento».[8] Aquí valdría añadir hasta el punto del goce o el placer comparable con la vida.

---

[8] Georges Bataille: *El erotismo,* consultado en: www.pensamientopenal.com.ar/doctrina31464.pdf

He querido trascender la periodización en la obra de Servando, en función más bien de una aproximación taxonómica, que me permite apuntar esencias más allá de estancos temporales. Insisto, en primer lugar, en la permanente expresividad que junto al hedonismo refinado, descentró el escrutinio moralista y excluyente, que tuvo que enfrentar. Bien se ha insistido en que su obra es carne y espíritu, plena de transfiguraciones que por momentos sublima la dimensión erótica, tras la atmósfera de transparencias que sugieren expansión de fluidos corporales, seminales comparables con la celebración de la abundancia de la naturaleza, a la que hizo referencia más de una vez. Mucho también hubo de aquella voluptuosidad que escindía el pronunciamiento evidente del sexo, como en los torsos y columnas humanas.

Como Carlos Enríquez, Servando se valió de ardides que incluían el humor y la intertextualidad visual; sobre todo en los títulos tan peculiarmente concebidos por Cabrera Moreno que, en última instancia, actúan como resortes desaumatizadores al tiempo que insinúan otras dimensiones sémicas y nos deja pensar en las oclusiones del modelo sexista, heteronormativo, bien asentado en Cuba ya desde la constitución de la nación.

A tono con estrategias, como la censura, que tratan de desvirtuar las imposturas falocéntricas, el crítico Andrés Isaac señala que «al erotismo le resulta propio el rito, el arte de la ceremonia, los artificios de la representación, el simulacro, el camuflaje, el escarceo, el flirteo».[9] En ese sentido, Servando trató de sortear los estigmas en gran parte de su producción exhibida. Por eso quizás la observación de que su obra existe sin frontalidad explícita. Mas creo que no dejó de desafiar incluso con los graves rostros de campesinos, milicianos de fuertes brazos fálicos, viriles; ni tampoco con los retratos reales e imaginados, de jóvenes casi siempre de apariencia andrógina, seductores en esa belleza aprobada desde una percepción que vigila también la sutileza ¿Qué fueron sus "Habaneras", de 1975, en Galería Habana, agrupadas bajo el título *Habanera Tú*, sino falos erectos? Lo que caracterizaría como una glorificación fálica, tras el telos de una reafirmación de lo que supuestamente representaba la semblanza identitaria. Curiosamente las "Habaneras" colmaron las oficinas de múltiples instituciones y se convirtieron en un emblemático obsequio.

La dimensión homoerótica en su obra fue su sentencia frente al discurso falocéntrico y a los códigos prohibitivos de la estructura social y

_____

[9] Andrés Isaac Santana: *Sin Pudor (y penetrados)*, Aduana Vieja Editorial, Valencia, 2013, p. 131.

sus construcciones culturales reduccionistas. Así mismo, la visión axiológica de rizomáticos vínculos sémicos y exegéticos devienen entonces cisma y por tanto la obra suele ser proscrita. De ahí la contracción, la intertextualidad y la parábola, como respuesta.

El contexto cubano de los años sesenta y setenta fue difícil, pleno de contradicciones y desencuentros. Junto a la legítima e inaplazable defensa de las transformaciones sociales, la proclamación del humanismo y la aspiración de formar un hombre nuevo, se avivaron posiciones extremas y de incomprensión.

Recuérdese que la conversación y las polémicas resultantes del encuentro de los artistas e intelectuales, con el Comandante Fidel Castro, vertidas luego en el documento conocido como *Palabras a los intelectuales*, devinieron parte de la Plataforma de la Política Cultural; la cual sufrió interpretaciones ortodoxas y dogmáticas que, a su vez, dieron lugar a instrumentaciones de normativas en la praxis, las cuales no formaron parte de las esencias y presupuestos atendidos y por tanto resentían la tónica de aquel intercambio trascendental.

Bien conocidos son los textos de prestigiosos intelectuales cubanos, como Ambrosio Fornet, Mario Coyula, Arturo Arango —solo por mencionar algunos— connotados por la deconstrucción analítica de los sucesos y eventos sucedidos en el periodo, desde sus posturas honestas, despojadas de artilugios oportunistas, pero con la apertura del pensamiento dialéctico, propio de la axiología.

No obstante, recuérdese también que la Revolución recién nacida, heredaba la noción de un corpus nacional sexuado que se mantuvo dentro del proyecto social, el cual estuvo identificado con el modelo y norma heterosexual. De tal suerte, se desconceptuó cualquier expresión y espacio de diferencia, invalidando incluso su plena integración a los procesos de construcción del nuevo proyecto. Justo un evento abría y cerraba trascendentales flancos para la discusión, el debate, la legitimación de estigmas, y dejó truncas demasiadas aspiraciones de replantear asentados "postulados éticos y morales": El Congreso de Educación y Cultura, celebrado en 1971. Las proyecciones del evento estuvieron en contra de toda manifestación de homosexualidad, proclamó medidas preventivas y educativas para el saneamiento y control de focos homosexuales, tal como reza en los documentos publicados.

No es de mucho dudar que el tema erótico y especialmente la orientación opuesta a la concepción heterosexual, sufriera una contracción, al menos en los espacios públicos. Se tendía una zona de silencio lo que era considerado marginal, impúdico e indecoroso en el ámbito social.

En el caso de Servando Cabrera, el discurso o la proyección fálica encontró reticencia porque representaba la alteridad, que se oponía a la segregación, al corpus social sexuado, concebido en términos fundamentalmente masculinos. En sus obras menos visibilizadas y en aquellas no exhibidas institucionalmente, el triunfo del falo como significante es, a la vez, motivo de la eclosión de la vida y reverencia. Todos los miembros anatómicos y especialmente los genitales, representan la excitación sexual y asoman pletóricos de sangre en esa autonomía y autosuficiencia que desplaza y trasciende la proclamada relación amatoria natural, al tiempo que dejan que afloren otros posibles enlaces y correlatos de alcance sociológico y cultural.

Servando creó su propia arquitectura del cuerpo y del sentido de su identidad sensitiva en la que otorgó preeminencia simbólica a la emancipación a través de la perturbadora presencia del falo, al que reconocería Lacan como «el significado privilegiado de esa marca en que la parte del logos se une al advenimiento del deseo».[10] Descentró esquemas interpretativos de representación y lo declaró en la totalidad de su propuesta intensa y singular que no distinguía entre el compromiso social, humanista, y su necesidad tenaz de conciliar los sentimientos de afirmación, que no marginan lo sexuado ni la existencia del intercambio amatorio, incluso en los espacios de diferencia los mismos sentimientos comprometidos con el proyecto social.

HILDA MARÍA RODRÍGUEZ ENRÍQUEZ (La Habana, 1960). Curadora, investigadora, crítica de arte y artista. Miembro de la Unión de Escritores y Artistas de Cuba, UNEAC, en la secciones de crítica y plástica. Es Profesora del Dpto. de Historia del Arte de la Facultad de Artes y Letras de la Universidad de la Habana desde 2005.

---

[10] Jacques Lacan en: Andrés Isaac Santana: "La apoteosis del falo", en: *Sin Pudor (y penetrados), ob, cit*, p. 133.

COMO DIOS LOS TRAJO AL MUNDO Y LO(A)S CINEASTAS AL CINE

El desnudo ha sido una constante en el arte visual: pintura, grabado, escultura, fotografía y cine han llevado a sus diferentes soportes la figura humana despojada de ropa, y aunque los períodos y las poéticas, los movimientos y artistas en su diversidad han focalizado con variedad de matices esta (in)variante, el hecho de presentar a los espectadores un hombre o una mujer "como Dios los trajo al mundo", ha sido común en todas las obras.

Aunque hoy es habitual apreciar en la pantalla grande, desnudos parciales o totales de ambos géneros (incluso de las nuevas modalidades en este campo de la sexualidad humana) no siempre fue así. Durante su infancia y primera juventud, el cine chocó frontalmente con lo que constituyó un verdadero tabú, aun cuando los relatos demandaran para sus desarrollos narra-tivos y dramáticos a este o aquel personaje sin ropa en determinados (y decisivos) momentos.

A la hora de los recuentos, las búsquedas un tanto historicistas, habría que recordar el inicio, y llama la atención que no fue en Estados Unidos donde tuvo lugar el primer desnudo sino en... Checoslovaquia; se trata de la cinta *Éxtasis* (1933)[11], dirigida por Gustav Machaty y protagonizada por la actriz vienesa Hedy Lamarr (1914-2000). Narra la relación adúltera de una bella joven casada con un viejo impotente.

Lamarr, cuyo nombre de nacimiento era Hedwig Eva Maria Kiesler, aparece como vino al mundo nadando en una piscina durante diez minutos y casi otros tantos corriendo "en pelota" por un bosque; también fue la primera vez que en pantalla una mujer simulaba un orgasmo, todo lo cual, como se aprecia, resulta altamente revolucionario para la época. A pesar de las críticas religiosas y la indignación de los puritanos, la película fue un éxito comercial en los países donde pudo verse sin censura y catapultó a la fama a la actriz protagónica, que comenzó una carrera en Hollywood.

---

[11] Sin embargo, algunos sitios reportan como la verdadera génesis del desnudo cinematográfico femenino un filme que se realizó mucho antes y precisamente desde una cámara femenina: la de la realizadora Lois Weber, quien con su filme *Hypocrites* (1915) logró además un contundente éxito de taquilla. Ver por ejemplo: www.elespanol.com/cultura/historia/20161118/171733004_0.html

Desnudo de Hedy Lamarr en *Éxtasis*, 1933.

Todo indica que fue un corto francés (*Le Coucher de la Mariée*, de Albert Kirchner) en 1899, el que presentó por primera vez una mujer que se desvestía frente a la cámara, mientras el cineasta italiano Francesco Bertolini, al realizar una adaptación de *La Divina Comedia*, retrataba los primeros hombres en tal condición.

En La Meca fílmica, no fueron al parecer las damas quienes comenzaron a exhibirse "en cueros"; esas iniciales sesiones se las debemos a Eadweard Muybridge, pionero de la cinematografía, quien realizó ensayos fotográficos con modelos desnudos (¡entre ellos los poetas Walt Whitman y George Bernard Shaw!). Fue la primera vez que se veían en el cine estadounidense cuerpos sin vestidos y en movimiento. Luego, el tristemente célebre "Código Hays", camisa de fuerza instalada desde 1930 en Hollywood limitaría no solo la desnudez explícita sino todo lo que significara "lascivia o depravación".[12]

En España, mientras tanto, la primera mujer que hizo un desnudo integral en el cine fue María José Cantudo en *La Trastienda*, de Jorge Grau (1975), en América Latina todo empezó mucho antes: se registran entre los pioneros, títulos como *El ángel desnudo* (1946), del argentino Carlos Hugo Christensen, inspirado en el relato de Arthur Schnitzler *La señorita Elsa* que, como es de suponer, escandalizó a ciertos sectores de la sociedad porteña al mostrar a la joven Olga Zubarry, quien aparecía con una boi-

na y el cabello cubriéndole la espalda, completamente desnuda al dejar caer el tapado de piel que tenía como única vestimenta. En México, por su parte, tal "honor" recayó en la actriz Ana Luisa Peluffo mediante su protagónico en *La fuerza del deseo*[13] (1955), de Miguel M. Delgado, algo que repitió en otros títulos de la época.

Volviendo a Argentina, en los años '50 una pareja hizo estallar la pantalla de la nación sureña y de mucho más allá: la modelo devenida actriz Isabel Sarli y el cineasta Armando Bó (cuya relación sentimental era un "secreto a voces" a pesar de tener ambos sus respectivos matrimonios) se unieron en un cine irreverente e iconoclasta, aun cuando ligero y sin mucho vuelo artístico.[14] Veintiocho títulos casi todos

---

[12] Will Hays, el director de la Asociación de Productores (hoy MPAA), implementa el Motion Picture Production Code —mejor conocido como el Código Hays—, un reglamento cuyo fin era eliminar "la depravación del cine", por lo cual quedaron prohibidas las escenas de amor, "imágenes lascivas" y cualquier elemento que se considerara indecente, incluyendo claro está, el desnudo. Las productoras y estudios debían enviar sus películas a la oficina de Hays, quien les otorgaba un sello de aprobación para que fueran exhibidas a nivel nacional. Se exhortaba a aquellas obras que contenían elementos eróticos, que fueran editadas, sustituidas o eliminadas para poder llegar a cartelera.

[13] Como se sabe, Almodóvar se apropió del título para su filme de 1987.

[14] A pesar de todo, es un cine que posee ciertos valores incluso estéticos, siempre recortados contra la época. Así lo ha visto por ejemplo el también argentino Pablo Mascareño, quien escribe: «A su modo, fue un cine de vanguardia, poco transitado por la industria local. Muy criticado en su momento y luego reivindicado por la intelectualidad que hoy lo considera de culto. Bó conocía las tendencias que, en los años '60, impulsaban una nueva mirada sobre la ficción en pantalla grande. Era amante de las corrientes francesas que ocupaban las páginas de la revista *Cahiers du cinéma*. A su manera, apostaba por traer esos nuevos lenguajes, pero los tamizaba con una sensibilidad propia. El producto final poco tenía que ver con aquellas fuentes de inspiración nacidas a orillas del Sena. De todos modos, sus filmes recorrieron el mundo y aún hoy participan en festivales con secciones retrospectivas». Ver: https://www.lanacion.com.ar/2036316-isabel-sarli-y-armando-bó-una-pasion-marcada-a-fuego.

Desnudo de Ana Luisa Peluffo en *La fuerza del deseo*, 1955.

éxitos de taquilla, promovieron a la agraciada estrella erótica en audaces y detallados desnudos (tomados por la cámara a cierta distancia pero muy gráficos, sobre todo en los exuberantes senos) que lo eran más en tiempos de dic-

taduras y represión, lo cual en varias ocasiones dejó sus huellas castradoras en los filmes.

Hoy se recuerda con nostalgia uno de los desnudos femeninos más sonados en la historia del cine, que sin embargo resulta a la luz de los años absolutamente ingenuo aunque también de una sutileza y elegancia a toda prueba: el enseguida devenido mito erótico Brigiette Bardot (BB) fue "lanzado" mediante el filme *Y Dios creó a la mujer* (Francia, 1956), de Roger Vadin. Aquí la atractiva francesita encarnaba a una huérfana de 18 años, ninfómana, que es adoptada por una familia donde debe convivir con tres atractivos mancebos; en determinado momento un caballero llega de visita a la casa y no tiene mayor impedimento para contemplar el hermoso cuerpo de B.B. que unas frágiles sábanas puestas a secar. Desnudo translúcido entonces, insinuado, resultó para el momento un verdadero escándalo.

Sin embargo, llama la atención que, aunque lo hizo antes,[15] el más célebre mito erótico del cine en todos los tiempos (Marilyn Monroe) no se mostraba sin ropa en la pantalla,[16] quizá intentando hacer valer sus presuntos méritos histriónicos sin necesidad de acudir a tal recurso.

Mas, dentro del "anecdotario" imprescindible, que ciertamente no es el sentido de estas líneas, puede apreciarse lo que más nos interesa: la focalización masculina del desnudo.

VISOR ERÓTICO

No olvidemos que en la pintura, la escultura y otras artes plásticas, aun cuando los artistas se acercaran a sus congéneres para reflejarlos, eran ellos quienes estaban tras el caballete o la piedra, y su mirada era la que presidía, la que definía: se trataba de hombres pintando, esculpiendo, grabando o fotografiando a otros hombres, y qué decir de cuando era la fémina quien posaba. Tal comprometida visión de género se trasladó a la pantalla, y por supuesto que aun cuando no se tratara de "cine (abiertamente) pornográfico"[17]

---

[15] En 1949, una etapa previa a su éxito, quien aún era aspirante a actriz y se llamaba Norma Jean Mortenson posó "desnuda" para el fotógrafo Tom Kelley a cambio de 50 dólares. Lo insólito llegó unos cuantos años después, cuando ya ella había adoptado el seudónimo de Marilyn Monroe y era la estrella de cine más famosa del mundo. Estas fotos hasta hace poco inéditas, han salido a la luz recientemente mediante una expo *on line* y aunque no están a la venta ya se sabe que podrían valer millones. Ver: http://cinemania.elmundo.es/noticias/ Otras fotos semejantes y tampoco divulgadas, digamos nadando en una piscina, sí han sido subastadas. Ver: https: // www.clarin.com/.../subastan-fotos-ineditas-marilyn-monroe

[16] Aunque en *Something's Got to Give* (George Cukor, 1962), la que sería la última aparición de la Monroe en el cine, se filmaron escenas donde se le vio desnuda nadando en una piscina. Una de estas imágenes apareció luego en la portada de la revista Life. Para muchos historiadores, este es el primer desnudo en la gran pantalla de una actriz norteamericana. En el año 2001 fueron montados, para un cortometraje homenaje a la actriz, los 34 minutos que la registraron durante la filmación de la inacabada película de marras.

[17] Por "cine pornográfico" se entiende el que carece de pretensiones estéticas y busca un efecto directo en quienes lo consumen: la excitación. Como es de suponer el desnudo es absoluto, focalizando sobre todo los genitales... en acción. Sin embargo, nuevas tendencias no establecen demasiada distinción entre aquel y el "cine erótico", criterio que no comparto, aunque reconozco que ciertos directores de filmes porno en la actualidad

tanto el enfoque del "ojo visor" como su recepción detentaban un fuerte sentido erótico.

La feminista y estudiosa de cine Laura Mulvey (Gran Bretaña, 1941) ha realizado interesantes aportes en torno al desnudo en la pantalla: partiendo de Freud y su concepto de *scopophilia* (o sea, el "placer erótico de la mirada") ella se dispuso a repensar el doble y simultáneo proceso de objetivación femenina y de identificación masculina que se lleva a cabo en el espectador (definido a través de su identidad sexual). Al operar con el binarismo masculino/ femenino, Mulvey evidencia la marca sexuada y patriarcal que domina el placer de la visión cinemática, a la vez que demuestra cómo a través del cine (en especial el "clásico" hollywoodense) se produce la reducción del sujeto femenino a la imagen y se (re)afirma el sujeto masculino como mirada.[18]

Para Mulvey es, como también ha visto su colega, la estudiosa Ana Forcinito:

El inconsciente patriarcal el que determina las miradas eróticas y la división suje-

to / objeto en términos de género sexual. Si la mirada está determinada por el placer masculino, entonces, el espectador es fundamentalmente varón mientras que la mujer, sostiene Mulvey, es el objeto representado. De este modo, pone en juego el placer de la mirada y el proceso de identificación que se produce entre el espectador varón y la cámara (como "la mirada"...) Tanto el placer como la reafirmación de su subjetividad (dentro del discurso patriarcal) vuelven a confirmar el privilegio masculino de la mirada.[19]

De modo que es el propio inconsciente patriarcal el que rige la activa participación erótica del espectador devenido *voyeur*; asimismo el filme (como parte del aparato ideológico) refuerza la posición del varón en tanto sujeto dominante a través de los procesos identificatorios del espectador y de significación del texto cinematográfico.[20]

---

se esfuerzan por ofrecer cierto empaque "artístico" a sus obras (digamos, Lesse Braun, llamado "el rey del porno culto"). Para profundizar en el tema, que por supuesto escapa a las pretensiones de estas líneas, Ver, por ejemplo: Georges Sadoul: "Cine porno", en: *Historia del cine mundial: desde los orígenes*, en: https://books.google.com.cu/cinepornográfico.

[18] Ver: Laura Mulvey: "Visual Pleasure and Narrative Cinema", *Visual and Other Pleasures*, Bloomington, Indiana University Press, 1989.

[19] Ver: Ana Forcinito: "Otra vez María Luisa Bemberg: transgresiones, fragmentos y límites de la mirada cinemática", en: *Confluencia: Revista Hispanica de Cultura y Literatura*, https://www.thefreelibrary.com.

[20] Nos recuerda esta autora que sin embargo "en la década del ochenta la teoría feminista revisa el puntapié inicial de Mulvey para comenzar a des-esencializar la cuestión de la mirada y del espectador. Teresa de Laurentis (1984) sugiere, por ejemplo, que la mujer espectadora puede adoptar una posición masculina. También E. Ann. Kaplan (1983) critica la posición de Mulvey y sostiene que tanto hombres como mujeres pueden ser sujetos

TODO UN MUNDO EN CUEROS

Son muchos los desnudos pero las visiones y las cargas semánticas tienden a repetirse: los cuerpos desprovistos de ropa (a)portan cosmovisiones sexuadas, con marcas de género que conllevan sustratos generalmente patriarcales, machistas, heterosexistas, blancos, occidentales, imperiales y por supuesto masculinos.

Pese a las diferencias diegéticas y enfoques personales de sus realizadores, no difieren mucho los desnudos de Jessica Alba (*Machete,* 2010) Ryan Gosling (*Crazy, Stupid, Love*, 2011) o Kate Winslet (*Titanic*, 1997); los de Daniel Craig (*Love Is the Devil*, 1998), Brad Pitt (*Troy, 2004*) e incluso el mítico de Sharon Stone (*Basic Instict,* 1992). También a destacar los más recientes de Ana Asensio (*Most Beautiful Island*), Jennifer Lawrence (*Mother!*), Rose Leslie (*Sticky Notes*) y Teresa Palmer (*Berlin Syndrome*).

La mayoría de ellos —y muchos más que abundan en el cine contemporáneo, esencialmente norteamericano como puede apreciarse en estos gráficos ejemplos— implican: seducción a nivel narrativo y/o "puesta en perspectiva" de las diferentes personalidades de los caracteres, sean masculinos o femeninos, pero generalmente desde la visión antes comentada; y eso en el mejor de los casos, pues en varios de ellos no hay que esforzarse mucho para descubrir un simple efecto de impacto en el espectador (literalmente masculino). Sin embargo, hay también desnudos que devienen marca de autenticidad, reafirmación valórica (mediante el erotismo) y lo que pudiéramos considerar.

CAMBIOS DE PARADIGMA Y HETERODOXIAS

Cuando varían los parámetros que rigen los cánones, también lo hacen las miradas cinematográficas en torno al cuerpo humano. Ilustremos con algunos títulos:

La cinta feminista *Real Women Have Curves* (2002) de la realizadora chicana Patricia Cardoso basada en la obra homónima de Josefina López, muestra un enfrentamiento entre los tradicionales valores de la familia latina en choque con los que impone el *american way of life* a través de una joven nacida en Estados Unidos pero de padres mexicanos; también se cuestionan con un fino e inteligente humor, los parámetros "norteños" de la belleza femenina, cuando la protagonista y algunas mujeres de su familia, defienden sus derechos a ser gordas

---

de la mirada y que, por lo tanto, la mirada no es únicamente dominio masculino. La propia feminista británica hace, más tarde, una reelaboración de su acercamiento de 1975 en *Afterthoughts* (1981) y se refiere a un proceso de masculinización de la mujer espectadora". Ibídem.

y rechazar las dietas que dictan los modelos y las tiranías de la moda.

En una secuencia realmente antológica, féminas de varias edades, casi todas mayores, comienzan a desnudarse y bailan alegremente en la tintorería donde trabajan, lo cual constituye todo un acto de reafirmación y autenticidad. Hay en todo el filme, resumido admirablemente en esos descollantes minutos, una actitud acorde con la "cultura de resistencia" que implica la cultura chicana, con lo cual el desnudo asume una posición contravalórica que se apoya en tres puntales: la gordura (en vez de la delgadez que supone la norma), la hibridez racial (son mujeres mestizas, o sea, no blancas) y la madurez etaria (varias de ellas no son ya jóvenes, otro paradigma como se sabe establecido por la hegemonía centrista).

En este último respecto viene a cuento también un momento del filme mexicano *Japón* (2001, Carlos Reygadas) en que el angustiado protagonista tiene una aventura con una mujer mayor y poco agraciada, llena de arrugas, ergo: absolutamente distante de los patrones *ad usum*; la cámara recoge un desnudo de ese personaje, como se infiere totalmente alejado de las convenciones, que implica todo un desafío.

La exuberancia en el cuerpo femenino se torna protagónica en el filme *El fotógrafo* (2015) de la directora eslovena Irena Pavlásková. Siguiendo a un personaje real —Jan Saudek, el artista del lente más conocido de ese país a nivel internacional— la cinta refleja con cáustico sentido del humor y gran agudeza la característica esencial de este hombre: fue amante y perseguidor (con cámara en mano) de mujeres gruesas que Botero hubiera envidiado.

El erotismo sui géneris que logra aprehender y trasmitir el filme (no es un hecho fortuito el hecho de que sea una mujer quien dirija) implica también un gesto de considerable audacia; las señoras obesas, que antes de obra artística son seres de carne y hueso (sobre todo, ya vemos: de carne en abundancia) representan un modelo contra-hegemónico de belleza y seducción, otra disidencia respecto al desnudo convencional y tradicional.

Esa visión refractaria de un arte a otro (aunque tan emparentados por hacer de la imagen su medio expresivo) aparece así mismo en un filme que versa también sobre un fotógrafo ilustre: *Fotografías obscenas* (2006) del norteamericano Frank Pierson, en torno a quien ha devenido todo un ícono del arte homoerótico del siglo XX: Robert Mapplethorpe, referente desde los años '70 en la siempre agitada escena sociocultural neoyorquina, aunque no fue hasta inicios de los '80 que conoció el espaldarazo tanto en la Meca estadounidense como en la no menos influyente de Londres.

El filme se concentra sobre todo en la polémica alrededor del fotógrafo cuando en 1989 la galería de arte Corcoran de Washington decidió cancelar la muestra itinerante prevista del artista, debido a presiones del senador Jesse Helms y de otros colegas conservadores que exigían del gobierno el corte del presupuesto al Endowment for the Arts (Fondo federal de apoyo a las artes) por haber financiado parcialmente una muestra que consideraban pornográfica.

Con el retrato como soporte fundamental (desde las fotos iniciales de su amiga, la cantante Patti Smith, hasta la sexualización de cuerpos, flores y frutos en sus ulteriores exposiciones) Mapplethorpe se enfocó y especializó sobre todo en tres aspectos muy vinculados entre sí: el hombre negro, el falocentrismo y el cuerpo musculoso y esbelto.

De todo ello da fe el logrado filme, que se apoya en la poética del fotógrafo en torno a otros parámetros que disienten del modelo heterosexual / blanco / clase alta y del canon clásico,[21] lo cual no dejaba de resultar paradójico en un artista que, sin embargo procuró desde sus inicios, y hasta en esos retratos más iconoclastas,

la hermosura en su búsqueda de la perfección casi clásica, en el extremo rigor de las luces cortantes y de las construcciones simétricas. Como opinó en su momento el filósofo Arthur Danto, Mapplethorpe fue «un es-teta que veía belleza en todo, hasta en cosas aparementemente feas y sórdidas».[22]

Aunque Mapplethorpe recibió duras críticas (no solo de moralistas y retrógrados) y hay mucho de hipérbole en esa etapa esencial de retratos, su obra ha crecido con el tiempo hasta tornarse de culto, y hay que agradecer al cineasta Frank Pierson su valioso testimonio fílmico sobre el artista, incluyendo de paso algunos de los desnudos más escandalosos y contracorriente que ha conocido el arte fotográfico, más allá de la esfera homoerótica.

EN CASA

El cine cubano de todos los tiempos no ha sido muy abundante ni explícito en el tema; antes de la Revolución era simplemente impensable; con la nueva producción que se inaugura a partir del surgimiento del ICAIC en 1959 tampoco el desnudo es precisamente protagónico.

Sin embargo, hay ciertos tanteos: en la temprana *Memorias del subdesarrollo* (1968), de

---

[21] La pintura y escultura grecolatinas centradas en el cuerpo masculino reflejaban genitales pequeños, *pues consideraban lo contrario como una vulgarización de la anatomía del varón.*

[22] Ver : http://www.lr21.com.uy/cultura/

Tomás G. Alea, surge una especie de desnudo "trunco" por parte de la actriz Yolanda Farr, también se insinúa de modo fugaz Eslinda Núñez tanto en la sumersión del bautizo imaginado por Sergio como en la cama. En *Cecilia* (1981) de Humberto Solás, se ve a la protagonista en determinado momento de espaldas en esa condición.[23]

No es hasta 1983 que Enrique Pineda Barnet[24] (*La bella del Alhambra*) en su filme *Tiempo de amar* ofrece el primer desnudo completo del cine cubano, correspondiente a la entonces

joven actriz Ana Lilian "Lili" Rentería. El filme recrea la angustiosa etapa conocida como Crisis de Octubre y su especial repercusión dentro del proceso social en formación; agrega a una trama esencialmente bélica la historia de amor entre Helena, joven de provincia que viene a estudiar en la Universidad de la Habana y Darío, movilizado dentro de la contienda, quienes se encuentran en los momentos en que él puede visitar fugazmente la capital. Uno de ellos muestra justamente la consumación del romance mediante una breve pero intensa escena erótica.

Es cierto que no resultó lograda esta propuesta (endeblez en la plasmación del conflicto, oscilación en la fuerza dramática con que se desarrolla la narración) pero esos minutos puntuales sí fueron eficazmente recreados por la cámara: los amantes son captados haciendo el amor mientras una ventana recién abierta deja entrar una lluvia de hojas otoñales.

Valga anotar que el cuerpo de Roberto Bertrand es apenas mostrado, en realidad cubre a su compañera, quien sin embargo deja ver primeramente la parte superior de su hermosa anatomía —con énfasis en los senos— y después completa, aunque no se aprecian nítidamente sus genitales. En un lento recorrido que va de primeros y medios planos a expresivas panorámicas, la escena trasmite un elegante

---

[23] A propósito, se supo que fue un doble de la actriz Daysi Granados.

[24] Dentro de la obra de este realizador cubano el desnudo es toda una recurrencia: continuó apareciendo, pese a la diversidad de los temas abordados y la propia representación del cuerpo. Recordamos en *Mella* fotos con tales características de Tina Modotti al líder revolucionario y de Weston a la fotógrafa; en *Aquella larga noche* aparecen varios hombres torturados por Ventura sin la mínima prenda de vestir; en *La bella del Alhambra*, los actores Jorge Martínez, Cesar Évora y la propia Beatriz Valdés (cuando el personaje se quita el liotar en el teatro) lo están en algún momento; hay un desnudo frontal masculino de Hector Noaen *First* (según el director, es "el primero de este carácter en la televisión de Miami, en el programa *Luna verde* de Marcos Miranda, e inmediatamente después en la televisión cubana"); Broselianda Hernandez se exhibe sin ropa ante el espejo en *La anunciación*; hay desnudos en las pinturas de Rocío García así como de los actores protagónicos en *Verde Verde* y de sus colegas Carlos Cruz y Alexis Díaz de Villegas en el corto *End* . Me comentaba Pineda, a propósito de esta sistemática presencia en su cine, que «los ángeles no tienen sexo, por eso no existen. Toda mutilación es criminal» y que «siempre hubiera soñado con desnudos en las willis de mi *Giselle*» (Entrevista personal con el autor).

Fotograma de *Tiempo de amar*, 1983.

lirismo (en plena armonía con el tono que esa parte de la trama expone) reforzada por la fotografía de Raúl Rodríguez y la música de Leo Brouwer, dos maestros que conjugan sus experiencias y saberes en función de la imagen (de tonos cromáticos suaves y una iluminación tenue) y el sonido (mediante cuerdas de gran delicadeza que reproducen un segmento de resonancias románticas). Es imposible, ante la composición plástica de la escena, no evocar el entrelazamiento corporal y la sugerencia de perenne movimiento plasmado por Servando Cabrera en sus óleos.

La actriz Lili Rentería ha manifestado sus recuerdos de la filmación y da su criterio en torno al desnudo que protagonizó:

Lo primero: cuando hice la escena no tenía información de que estaba protagonizando el primer desnudo del cine cubano, y mucho menos lo hice por ello, o por desnudarme y nada más. Helena (como se llamaba mi personaje) proviene de una familia de campo, llena de prejuicios, convencionalismos y valores tradicionales; entre otras cosas, ella tenía que llegar virgen al matrimonio. Cuando vino a la Habana para estudiar arquitectura en la universidad, conoció a Darío, quien resultó ser el amor de su vida.

Ambos lograron la aprobación de sus padres y familiares, quienes los obligaron a fijar una fecha exacta para la boda, cosa que no se pudo cumplir pues coincidió con que a Darío lo movilizaron por el servicio militar, para una supuesta guerra que nunca ocurrió.

Ella, como prueba de su amor incondicional se entregó a su prometido antes de partir él y de casarse, rompiendo así con todas las obligaciones impuestas por su familia. Así ocurrió la escena del famoso desnudo.

¿Cómo demostrarle a un hombre que amas con todo tu ser, y antes de partir para una guerra donde sabes, puede morir, que lo amas por encima de todo lo establecido?: amándolo con plenitud, y entregándote totalmente a sus brazos. Por eso Helena, (no Lili) se desnuda y le da la vida entera, sin dudas ni temores.

El desnudo en este caso es un resultado de la historia de estos dos personajes y de la dramaturgia de la misma. El filme de Enrique Pineda Barnet data de 1962, y por suerte fue llamado *Tiempo de amar* en medio de un tiempo de guerra.

No podía yo, en 1982 cuando se filmó, escatimarle a Helena su gran escena de amor, y mucho menos ponerme a considerar por prejuicios sociales, si me desnudaba o no. Entonces allí está esa maravilla de encuentro, donde Roberto Beltrán (quien hacía el primer desnudo masculino) y yo, defendimos con total profesionalidad nuestros amados personajes.[25]

Otro cineasta que ha trabajado con certeza y visibilidad el desnudo, sobre todo masculino, es Tomás Piard, desde que en 1989 su filme *La posibilidad infinita* mostraba así al actor José Antonio Roche, en este caso metaforizando la honestidad del creador que se inmola dentro de un entorno en crisis; en *Boceto* (1991) presenta a actores como Francisco Gattorno, Jorge "Pichi" Perugorría, Héctor Noas, Isela Rangel, Aixa

---

[25] Entrevista personal con la actriz.

García o Katerina Tomás en tal condición, significando ahora la entrega, la plenitud del amor. Y es que, por otra parte, ello porta siempre en Piarduna condición tropológica, de modo que los desnudos de jóvenes vigorosos que sin embargo logran apenas una erección a medias en *El viajero inmóvil* (2008) representan la crisis de la heterosexualidad digamos "pura" y tradicional.

La obra del realizador cubano Jorge Molina, también actor, explora (y explota) el erotismo en sus más amplias gamas, lo cual implica una incorporación de los códigos del cine porno —sobre el que, a propósito, dispone el cineasta de una amplia colección personal— mediante los cuales llega al límite, e incluso lo desborda al introducirse en terrenos considerados tabús (como la zoofilia, la necrofilia y otras prácticas tenidas como aberraciones sexuales).

Es por ello que en títulos como *Molina´s culpa*, *Molina´s Ferozz* y otros filmes, que siempre llevan su nombre como suerte de marca autoral anunciada, los desnudos son tan contundentes como explícitos y están en perfecta armonía con los relatos, que justamente pretenden dinamitar prejuicios y pruritos, discursando en torno al sexo como esa zona oscura, intensa y primitiva que también, y tanto, es.

TRES POÉTICAS EN TORNO A VARIOS CUERPOS.

Consideremos finalmente tres ejemplos más, pertenecientes también a diferentes épocas, autores y países que se apartan del enfoque habitual del desnudo fílmico y protagonizan miradas singulares (léase mucho más inteligentes, extra canónicas y personales) al tema. Ellos son: *Momentos* (Argentina) 1980, María Luisa Bemberg; *Shame*, (Gran Bretaña), 2011, Steve McQueen; y *La vida de Adele (I y II)* (Francia) 2013, Abdellatif Kechiche.

La historia de una mujer de clase media alta que abandona al marido para ir en pos de su joven y atractivo amante en la Argentina de los años '80, permite a la cineasta porteña María Luisa Bemberg desandar su fundamentado y explícito feminismo. La reivindicación que esta realizadora (quien como es bien sabido comenzó su carrera ya madura, con hijos y nietos) emprende en torno a los derechos de la mujer, en títulos como *Miss Mary*; *Yo, la peor de todas; De eso no se habla* y este que nos ocupa (*Momentos*) signan en realidad su breve pero intensa y contundente obra.

Aun cuando en esta última, que fue realmente una de las primeras, el final detenta un gusto a conciliación —con el regreso de la rebelde a casa con el esposo— no deja de apreciarse el gesto de disidencia respecto a la moral imperante y a las concepciones establecidas respecto al papel social y familiar de la mujer. Pero si traigo a cuento este filme es justamente por lo revelador que significa el desnudo del actor Miguel Angel Solá, criticado en su momento por cierta prensa mojigata.

Durante su visita a Cuba, Bemberg respondía a una pregunta de quien redacta estas líneas acerca, precisamente, del desnudo cinematográfico en el cine y su posición al respecto, más o menos de la siguiente manera:

Pues que vamos a terminar todas lesbianas, a juzgar por el porciento mayoritario, para no decir exclusivo, de mujeres desprovistas de ropa en la pantalla con el enfoque absoluto del director macho, varón, masculino a quien solo le interesa un público de semejantes que reaccionan como él desea. Por tanto creo tener todo mi derecho cuando, por ejemplo, me acerco al cuerpo espléndido de Miguel Angel (Solá) y demuestro con la cámara que también nosotras tenemos derecho de mostrar otras bellezas que pueden ser disfrutables por otras miradas.[26]

---

[26] Entrevista personal con el autor.

En efecto, *Momentos* regala un detenido y detallado recorrido por la "geografía", plena y desnuda, del entonces atractivo actor, en perfecta consonancia con el superobjetivo de la diégesis: que el espectador —hombre, mujer u…otro(a)s— comprenda algunas de las razones que asistieron a la amante (Graciela Dufau) a emprender el acto de ruptura. Por cierto, el esmerado *travelling* no exhibe pudor ni una delicadeza que pudiera asociarse con la focalización de una mujer, sino que imita la crudeza y el desparpajo del realizador (para citar a Bemberg) "macho, varón, masculino".

Los desnudos del filme *Shame* (2011), realizado por el británico Steve McQueen (*12 años de esclavitud*) no descuellan por conformar una concepción plástica, hermosa: no hay detrás de ellos un sentido esteticista, porque Brandon Sullivan, el protagonista que magistralmente encarna Michael Fassbender, es un hombre adicto al sexo. Su práctica continua y febril del cibersexo y el porno audiovisual, su trato con prostitutas, su deambular por el metro y los bares (incluido alguno gay) en busca de nuevas "presas" le impiden una relación normal, ante cuya insinuación se ve frustrado y manifiesta impotencia, lo que también repercute en el vínculo tirante y desamorado con una hermana anhelante de compartir su espacio vivencial y sobre todo su cariño, algo que parece cambiar para bien cuando ella atraviesa ciertos peligrosos límites.

La "genitalidad" como respuesta a las tiranteces de una sociedad consumista y competitiva (el personaje trabaja en una próspera empresa) que deviene remordimiento y culpa, se traduce en un filme que tarda en desarrollar sus conflictos: toda la primera parte es excesivamente lenta y torpe en su exposición, mas a partir de la segunda mitad adquiere un tono brutal, casi salvaje —en mucha mayor sintonía con el carácter y los presupuestos ideoestéticos del filme— que debió al menos anunciar este desde los inicios.

La focalización del desnudo está en perfecta consonancia con ese caracter: en las primeras escenas apreciamos a Fassbender saliendo de uno de sus encuentros eróticos, la cámara lo capta aun excitado mientras camina y enseguida de espaldas, permitiendo que comprobemos sus atributos físicos; cuando después le vemos con sus compañías femeninas, la imagen adquiere un sentido también duro, rayano con lo pornográfico, sin que por ello se detalle el acto.

McQueen, sabiendo que se apoya en un actor tan inmenso como Fassbender, prefiere mostrar desnudos parciales y que sean las expresiones faciales (esencialmente las suyas) quienes de-

Fotograma de *Shame*, 2011.

finan tales escenas donde se sintetiza magistralmente la tesis del filme.

La vida de Adele es un típico ejemplo de *bildungsroman* (relato de aprendizaje); en sus dos extensas partes seguimos a la joven protagonista, cuyo nombre forma parte del título, descubriendo(se): todas las esferas de la vida son para ella un enigma, una decisión a tomar, un reto que asumir, desde la vocación a la sexualidad. Es entonces en este decisivo terreno dentro de la formación de la personalidad —concretamente la identidad de género— que Adele explora y conoce sus deseos, sus gustos, su cuerpo mediante el cuerpo del otro, en este caso una mujer. Y de una aprehensión física se pasa a otra superior: la afectiva, el siempre tan procurado y no siempre encontrado "amor de pareja".

De modo que la escrutadora e inteligente cámara de Kechiche nos muestra no solo los desnudos femeninos sino a estos en pleno movimiento con todo detalle, desde planos que recrean con absoluto conocimiento de causa y delectación ese proceso de (re)conocimiento, de aprendizaje y progresiva convicción que va adquiriendo la muchacha en el acto; llama la atención, sin embargo, que aunque de un elevado erotismo y una precisión admirable (zooms y encuadres que recorren y enfocan las curvas y

células de ambas anatomías, fundidas y en desaforado "combate") la secuencia entronca más bien con el sentido didascálico del texto, que —valga aclarar aquí— parte justamente de un *comic* (*Blue Is the Warmest Colour*, de Julie Maroh[27]), y está en absoluta sintonía con el resto de los momentos que esencialmente no son menos eróticos aunque los personajes aparezcan lejos de la cama y totalmente vestidos: el inicial "flechazo", el bar que propicia el primer encuentro, la fiesta de los *snobs* en la casa de ambas.

El desnudo en este filme del irreverente cineasta tunecino es una metáfora —y también un hábil complemento— de todo el despojarse de tabúes y la trasgresión constante de lo "socialmente esperado", lo "políticamente correcto" que emprende la protagonista en ese viaje iniciático que es hacia sí misma, hacia la realización y el autoconocimiento.

DEL CUERPO HACIA ADENTRO… Y HACIA AFUERA

El desnudo, entonces, ha sido, muchas veces a lo largo y ancho del cine y su historia, algo más que la mera exposición de una hermosa anatomía. También ha devenido expresión de

COMO DIOS LOS TRAJO AL MUNDO (Y LO(A)S CINEASTAS AL CINE) Frank Padrón

---

[27] Por cierto, se ha comentado el disgusto de la autora con la adaptación fílmica. Ver, por ejemplo: *Exposición de amor*, en: http://www.elespectadorimaginario.com/la-vie-d-adele/

estados de alma, relaciones sutiles y estrechas con el contexto, indagación en lo que de un modo otro condiciona a esa mujer u hombre no solo cuando está así, carente de prendas, sino también cuando las lleva puestas.

Como decía Joan Manuel Serrat en una de sus hermosas canciones «uno solo es lo que es / y anda siempre con lo puesto», pues sin "lo puesto" el cine ha logrado adentrarse en los mundos interiores de seres complejos mostrándolo en su mayor intimidad y en sus más recónditos secretos, de los cuales el desnudo ha implicado afilado y afinado tropo.

Cuando no ha llegado tan lejos ha sido, sin más, la presencia de un cuerpo bello, que deleita los ojos y desata las mejores fantasías, o por el contrario, feo, deforme, presentado para chocar contra las convenciones por alguna razón...y eso en no poca medida, es y seguirá siendo el cine.

FRANK PADRÓN (Pinar del Río, 1958). Crítico de artes, ensayista, narrador, poeta y comunicador audiovisual. Entre sus libros más recientes figuran: *Diferente. El cine y la diversidad sexual* (Ediciones ICAIC, 2014); *El cocinero, el sommelier, el ladrón y su(s) amante(s)*, (Editorial Oriente, 2017), premio Winner en el Concurso Internacional Gourmand World Cookbooks Award; y *De la letra a la esencia: Mirta Aguirre y el barroco literario.* (Ediciones Unión, 2018), premio Uneac "Enrique José Varona" 2016.

DE LA RUMBA AL COITO

Notas para una noción del cuerpo y el sexo en el cine cubano a través de la rumbera, la bailadora de bembé, la dirigente y otros fetiches.

Me había extraviado.

Al compás de los tambores, desde las mesas de un espacio aséptico y luminoso, un público de hombres y mujeres contemplaba el baile hipnótico de la rumbera. Mis ojos se deslizaban del cuerpo de María Antonieta Pons, bañado por la luz del seguidor en el escenario del cabaret, al cuerpo desnudo de la mujer proyectada en la pantalla de un cine-teatro,[28] con sus mesas llenas de hombres, llenas de vasos, llenas de ceniza de tabaco, débilmente iluminadas por los reflejos de la pantalla y unas pocas luces de emergencia. Digo que mis ojos se deslizaban porque leía, de izquierda a derecha, como es habitual en occidente, un artículo que rozaba el tema del cine porno en Cuba en la revista *Cine Cubano* (No. 104, 1983) y luego otro, ya sumergido de lleno en el asunto, en *La Gaceta de Cuba* (No. 2, 2010).

Mientras avanzaba en la lectura, la imagen del cabaret se superpuso a la del cine-teatro, como si a través de la figura lujosa pero precariamente vestida de la rumbera fuese posible vislumbrar el cuerpo desnudo del objeto del deseo, o como si detrás de los caballeros que llevaban a sus esposas al cabaret de lujo se difuminara la imagen de las mesas apiñadas, los manteles manchados de vino, el olor rancio de la cerveza mezclada con el olor de los hombres solos del teatro Shanghai.

El cine-teatro que, como un espacio para el cine porno, constituye hasta hoy un icono en el imaginario de nuestra cultura popular tradicional, no ingresó como espacio de representación en nuestro cine, sino que se quedó en el recuerdo, en la referencia histórica, como sala de exhibición del cuerpo desnudo. En su lugar ascendió al podio el cabaret, sin proyecciones a oscuras, un local iluminado de *ladies and gentlemen* y, en el centro de su espectáculo de variedades, la rumbera: ligera de ropas pero no

---

[28] Con el término cine-teatro nos referimos a aquellos teatros de variedades que incluían en su programación un programa cinematográfico. Alguno de ellos, como el Shanghai, se hicieron famosos por sus proyecciones pornográficas (ver Luciano Castillo: "El cine cubano en cueros", en *La Gaceta de Cuba*, No. 2, La Habana, marzo-abril, 2010, p.p 20-25).

desnuda, bailando sola, poseída no por uno o varios hombres, sino por lo exótico, la música negra. Esta idealización del cabaret real, más acorde con los patrones y normas morales de la época, transformó la figura sexual de la corista casi desnuda en la rumbera casi vestida, omitiendo los elementos pornográficos para convertirlos en eróticos y ambientando el espacio de una forma neutra en lo tocante a lo sexual. Así, los *sketches* humorísticos sobrevivieron en esa estilización del cabaret cinematográfico, incluso con los mismos actores que se podían ver en el cine-teatro o en el cabaret real, y el público asistente pasó a ser una burguesía no menos estilizada. Cuando el cabaret apareció en nuestra cinematografía se consolidó un subgénero del cine musical, el cine de las rumberas, y surgieron nuestras primeras *sex symbols* internacionales.

El cine de rumberas expresaba lo erótico, lo sexual, a través del cuerpo en movimiento. La música, los movimientos pélvicos, el énfasis en las piernas de atractivas mujeres creaban el puente necesario para que la historia moralista y mojigata rozara la sexualidad, "lo pecaminoso" de la pasión corporal, que de otro modo hubiera sido imposible mostrar dado el código ético del melodrama donde la pasión es pecado y el sufrimiento es virtud y único camino hacia la absolución.

Fotograma de cine porno cubano de los años cincuenta, sin título.

El cine de rumberas[29] se puede entender como una corrupción de un género que se producía en el país desde la era silente, el melodrama, donde las relaciones sexuales no se muestran y

---

[29] En 1933 se exhibe en México *La mujer del puerto* de Arcady Boytler y Rafael J. Sevilla. Aquí aparece ya una escena donde una rumbera baila en un bar, antecedente del cabaret. El crítico David Ramón ve en esta película un antecedente del cine mexicano de rumberas no solo por su presentación de un cabaret arquetípico, sino porque al mostrar a la prostituta por medio de una canción sentará pautas para que en lo adelante las prostitutas estén siempre acompañadas de una canción, y este será el pretexto para introducir, dicho con palabras de Ramón: «mucha música de lo que devendrá un cierto cine musical: un género como lo es el de la rumbera» ("Lectura de las imágenes propuestas por el cine mexicano de los años treinta a la fecha", en: *De los Reyes, Aurelio y otros: 80 años de cine en México*, Filmoteca de la Universidad Nacional Autónoma de México, México, D.F., 1977). En Cuba la rumbera llega a la pantalla grande en 1937 con *Tam-Tam el origen de la rumba* de Ernesto Caparrós; y si en el cine mexicano estas rumberas van a tener un carácter tropical, en Cuba lo exótico radica en la evocación de las raíces negras.

la pasión queda reducida al limitado roce corporal del abrazo en lugares públicos, al apretón de manos en las salas de las casas y al beso escondido, fugaz, teatral que, en no pocas ocasiones, antecede a los créditos.

La rumbera jugó un doble papel en el cine: por un lado, cine erótico, incitación al pecado, por otro, cine didáctico moralizante, donde el pecado solo conducía (especialmente a la mujer) al sufrimiento, a la humillación y tal vez a la muerte.

La manera en que una función se desdoblaba en la otra es perfecta: la rumbera servía de anzuelo o fetiche sexual para el espectador masculino, que asistía a observar la tentación, lo pecaminoso[30] de la mujer, su cuerpo. No obstante, estas películas eran extremadamente moralistas. Si bien las escenas de bailes funcionaban como una liberación del cuerpo, la trama estaba sujeta a un código moral de pecado-castigo donde se reprimía tal liberación. Esta contradicción se hace evidente en la escasa relación entre las escenas de baile y la trama general, donde el hilo narrativo se detenía para mostrar la coreografía y dar paso a la exótica rumbera. La trama típica se podría reducir a la siguiente línea argumental: La heroína (casta) peca: se deja seducir y desobedece al padre. Este error trágico la lleva al concubinato o al cabaret (símbolo de la prostitución). De estos dos estados pecaminosos sólo podrá ser redimida a través del sacramento matrimonial o de la muerte.[31] Para Oroz la mujer mala está vinculada a la trasgresión del orden, ya sea la prostituta como cualquier mujer libre.

La rumbera del cabaret da origen a la santera que baila en los bembé o ritos religiosos y

---

[30] Si se revisa la clasificación adjudicada por la Iglesia, a través de sus revistas cinematográficas, se encontrará cuán común era otorgarle la clasificación B-2 al cine de rumberas por sus «desnudeces», lo cual confería cierto estigma y, seguramente también, cierto secreto atractivo a estas producciones nacionales. La *Guía Cinematográfica 1957-58*, publicada en La Habana en 1958 por el Centro de Orientación Cinematográfica, advierte en sus páginas 9 y 10:

B-2. Desaconsejable.
Están colocadas en esta categoría las películas peligrosas para la generalidad de los espectadores por prestarse a conclusiones negativas, por su atmósfera malsana, falsas ideas morales, descripción detallada de ambientes equívocos, presentación de desnudeces o escenas censurables [...] Las películas "Desaconsejables" no deben ser vistas sin motivos justificados.

C. Prohibidas por la moral católica.
Son aquellas que por su tesis o su presentación están incluidas en la definición del Santo Padre "positivamente malas", por difundir ideas disolventes, atacar la religión, la moral o el dogma u ofender las buenas costumbres. [...] Los católicos deben abstenerse de verlas a fin de evitar todo riesgo de daño personal, escándalo y cooperación al mal.

[31] A diferencia del cine mexicano el melodrama cubano disminuyó su número de defunciones, generalmente las películas cubanas solo castigaron con la pena máxima a las mujeres practicantes de religiones de origen africano, tal vez por considerar que su pecado era doble como ocurre en *Mulata* (1953), de Gilberto Martínez Solares, y *Yambaó* (1956), de Alfredo B. Crevenna.

el cabaret es sustituido por la selva o el monte. Este nuevo fetiche acrecentó la exaltación de la carne, aligerando, con el paso del tiempo,[32] la ropa de la bailarina, al eliminar el traje cinematográfico típico de rumbera de cabaret, con sus vuelos y su cola, y sustituirlo por falda y blusa cortas, ceñidas al cuerpo. También agregó la tentación religiosa. La mujer salvaje, pagana y rebelde entra en escena con tanta fuerza que se hace necesario en ocasiones acudir al narrador o a intertítulos que, al inicio de la película, alertan al espectador sobre las revelaciones religiosas que va a presenciar o acerca del significado del tipo de danza que está viendo. «Este prototipo tan temido por los hombres como por las mujeres, se le considera inferior y constituye un mal ejemplo. Es también peligroso pues si es provocado se vengará. Su relación con el placer sexual lo liga a la relación brujería-herejía. De ahí la frecuencia al decir que el personaje prototipo "tiene el diablo en el cuerpo"».[33] La apoteosis del cuerpo queda entonces reprimida en el transcurso de la historia y al final la mujer abandona el camino del baile y la soltería.

El cine de las rumberas y bailadoras de bembé, con sus mujeres generalmente blancas o mulatas claras, coexistió con un cine porno nacional que se exhibía en al menos cuatro salas de cine comercial y en el teatro Shanghai, donde se alternaban las películas con actuaciones en vivo. Hoy en día resulta casi imposible encontrar rastro de esta producción en celuloide, sin embargo la pornografía ha dejado una literatura y una iconografía de aquellos años.

Estas publicaciones solían ser anónimas, el sello de la colección amparaba historias donde la descripción del acto sexual era más importante que la peripecia del personaje. Aunque los temas repetían el incesto, la transexualidad, la homosexualidad femenina y masculina, las historias solían ser, en la mayor parte de las ocasiones, voceras de severos códigos morales. Parece que al igual que aquel cine, estas revistas comienzan en los años cincuenta a hacer uso del color en la portada y en algunos anuncios publicitarios que aparecían entre sus pá-

DE LA RUMBA AL COITO Raydel Araoz

---

[32] El paso de María Antonieta Pons a Ninón Sevilla evidencia un cambio de paradigma sexual. Ninón muestra una agresividad gestual, física que no aparece en la imagen de Pons, más dulce, más frágil. Esta actitud histriónica es una actitud corporal: la figura de Ninón está menos vestida, en la selva o en el cabaret la cámara insiste en los planos contrapicados para mostrar sus piernas desnudas, robustas, también ante su "desnudez", refiere a el estereotipo de la mujer indómita, peligrosa, que incita al hombre a que la dome.

---

[33] Silvia Oroz: *Melodrama. El cine de lágrimas de América Latina*, Universidad Nacional Autónoma de México, DF, 1995, p. 71.

ginas, como el de la cerveza Cristal. Por estos años, en el campo de las letras, la pornografía se dividía en dos vertientes. Por una de ellas transcurre cierta pornografía frívola o suave donde el texto elude la descripción del acto sexual pero conserva como centro de la peripecia la búsqueda del sexo. Las fiestas de disfraces, las infidelidades por ausencia del cónyuge, son temas recurrentes en estas páginas. Este tipo de relato se conocía como "historia galante" y se publicaba en revistas como *Vea*, *Can Can*, *Aquí*, entre otras, que se imprimían en La Habana, se distribuían en Cuba y América Latina, se autodenominaban "frívolas" y podían incluir en sus páginas artículos sobre actrices o actores, *sex symbols* del cine norteamericano, francés o italiano, así como comentarios sobre sitios de diversión en el extranjero (fundamentalmente algún cabaret o *night club*) y fotos de mujeres desnudas o en ropa interior. Los desnudos no exhibían la vulva de la mujer, ya porque la pose la ocultara, ya porque fuera borrada de las fotos por difuminación, más bien se concentraban en mostrar los senos, el torso, las piernas y las nalgas de las féminas.

Paralelamente con estas revistas "frívolas", con portadas a todo color, circulaban unos folletos o bolsilibros con historias donde la descripción muy explícita del acto sexual completo

era lo central y la mayor parte del texto, de manera que la peripecia de los personajes se simplificaba al punto de convertirse en simples instantes de transición entre las minuciosas descripciones de sus actos sexuales. Un comportamiento similar encuentra Umberto Eco en las películas porno:

> Una película porno está concebida para complacer a un espectador con la visión de actos sexuales, pero no podrá ofrecer hora y media de actos sexuales interrumpidos, porque es fatigoso para los actores, y al final llegaría a ser tedioso para los espectadores. Hay que distribuir pues los actos sexuales en el transcurso de una historia. [...] Por lo tanto, todo lo que no es un acto sexual debe llevar tanto tiempo como lo lleva en la realidad. Mientras que los actos sexuales tendrán que llevar más tiempo del que normalmente requieren en la realidad.[34]

Las historias en estas páginas portaban menos rigidez moral que las historias galantes y por su frecuente omisión de los datos de edición y autor se puede suponer que circulaban con menor respaldo legal. Las historias podían

---

[34] Umberto Eco: *Seis paseos por los bosques narrativos*, Editorial Lumen, Barcelona, 1997, p. 71.

estar acompañadas de ilustraciones o fotos donde el cuerpo se reducía a los genitales en poses que aludían el acto sexual. Los primeros planos estaban destinados al protagónico, generalmente el pene, de ahí que se mostraran detalles de la penetración y los ángulos desde donde los genitales fotografiaban mejor. Como diría Baudrillard, «al añadir una dimensión a la imagen del sexo, le quita una dimensión al deseo y descalifica toda seducción».[35]

Estos contactos, y seguramente influencias, entre la literatura y el cine porno no han de extrañar a nadie debido a la relación histórica que ha existido entre cine y literatura. Tal vez por eso me permito la falacia de imaginar las películas pornográficas cubanas a través de los argumentos, estereotipos y fetiches de esta literatura.

La Revolución Cubana, en su afán de distanciarse de la República neocolonial, censuró el cine porno y despreció el melodrama en todas sus facetas incluyendo el cine de rumberas y sus modelos corporales. En este camino expulsó también a Eros de su cinematografía. Una de las películas donde este presupuesto se evidencia de modo más interesante es *Tu-*

Fotograma filme porno año 1950, sin titulo.

lipa (1967), de Manuel Octavio Gómez. Allí la nudista del circo se niega a desnudarse para mantener su dignidad. La resistencia a mostrar el cuerpo desnudo (resistencia típica en el cine de la época) es en esta película parte del argumento, lo que permite abordar el tema de manera colateral, al mostrar a Tula como el personaje más digno del circo: siendo una nudista evita desnudarse completamente porque esto la degradaría aún más. Manuel Octavio Gómez propone un acercamiento al circo como un subsistema donde lo importante son las relaciones humanas; esto lo diferenciará de las imágenes del circo de otros directores, más centradas en el espectáculo y en el circo como espacio para la comedia —*Las doce sillas* (1962), de Tomas G. Alea, *Aventuras de Juan Quin Quin* (1967), de

---

[35] Jean Baudrillard: "La ilusión y la desilusión estética" en *Cine Cubano*, No. 148, junio-agosto, 2000, p. 73.

Julio García Espinosa—. Y es en esta búsqueda de lo dramático que Gómez da una imagen de la rumbera asociada al sainete y al bufo, algo que el cine en general había pasado por alto, mostrando siempre la rumbera desdramatizada, solo en su baile. La escena de iniciación de la Beba como rumbera destruye la comicidad del *sketch*, evidencia la máscara de los actores y transforma el espectáculo cómico para el público del circo en un espectáculo dramático para el espectador del cine.

En los años sesenta las rumberas cruzaron de la ficción al documental, que recibió gustoso a estas bailarinas y las integró un tipo de filme interesado en mostrar nuestras tradiciones danzarias.[36]

En cambio, el cine de ficción de esta etapa opuso, al modelo de la rumbera, el de la mujer trabajadora (campesina u obrera) y el de la mujer dirigente, ambos asexuados, desprovistos

Rosita Fornés en *El asombro de Damasco*, 1941.

de todo erotismo. El cabello largo se escondió bajo el pañuelo en la mujer trabajadora y se recogió en moño o se recortó hasta la nuca en la mujer dirigente. La trabajadora veló las formas de su cuerpo con ropa ancha, no entallada, con camisas y pantalones casi masculinos o sayas amplias que no marcaran cintura, busto ni caderas. Esta mujer, parte activa de la sociedad, ocupada en la transformación social, al salir del área de lo privado a lo público, olvidó el sexo y

[36] Estos documentales en los sesenta mostraron un interés por los distintos ritmos y bailes de nuestra tradición y se estructuraron como segmentos donde se exhibían estos bailes y donde podían incorporarse entrevistas (*Nosotros, la música* (1964), de Rogelio París) o no (*Ritmos de Cuba* (1960), de Néstor Almendros). Con el paso de los años se abandona la panorámica por los fenómenos particulares: orquestas de música popular y grupos vocales donde la rumba va quedando olvidada. Un regreso a esa forma de muestreo panorámico, ahora enfocado al tránsito de un género musical a otro, sería: *Yo soy del son a la salsa* (1996), de Rigoberto López.

el goce del cuerpo. Se sublimó el placer corporal, ya que el goce del cuerpo implica una individualización y se sustituyó por el placer de la realización social, una entelequia donde la satisfacción del individuo solo se completa en su actividad como miembro de un colectivo. Las heroínas, los héroes, depositaban su placer en un proyecto mayor, trascendente, la construcción de la nueva sociedad, ante el cual la búsqueda del placer individual, especialmente el placer sexual, se trivializaba o incluso se demonizaba.

Con el tiempo, la mujer dirigente, a diferencia de la trabajadora, se masculinizó tanto que parecen borrarse las diferencias entre la dirigente y el dirigente, la figura transita del drama a la comedia, y de los papeles protagónicos a los secundarios. El dirigente con su portafolios fue abandonando los espacios abiertos por los cerrados, la movilidad por la inactividad, asumiendo el rol y la ropa del trabajador de oficina, por lo que poco a poco a su imagen se superpuso la del burócrata, estampa risible y patética que en los inicios del cine revolucionario permaneció separada y aun contrapuesta a la del dirigente revolucionario. Este tránsito en el tiempo se puede ilustrar con los dirigentes de *Una mujer, un hombre, una ciudad* (1978), de Manuel Octavio Gómez y *Nada* (2001), de Juan Carlos Cremata.

Mostrar el cuerpo fue considerado durante muchos años como una marca representativa del pasado. Solo a la burguesa se la veía con ropa vistosa, descotada y entallada en los senos y las caderas; también a la prostituta, símbolo de la explotación capitalista del cuerpo femenino.

Las mujeres bailadoras de bembé se perdieron tras el velo que se lanzó sobre la religión, bajo un falso disfraz antropológico y marxista. En el tránsito que el baile realizó de la ficción al documental y del documental al cine de arte —un ejemplo de ello es *Okantomí* (1974), de Melchor Casals— la mujer, que en el melodrama solía protagonizar las danzas rituales (a Elegguá, Shangó, Oshún o Yemayá) fue sustituida por hombres que frecuentemente bailaban a Shangó o a Oggún y representaban los patakines donde estas dos deidades se enfrentan. A la mujer se le redujo su repertorio a las danzas de Oshún y Yemayá; y el cuerpo del hombre negro entró como modelo en el baile de las danzas yorubas. La cámara se detuvo en su desnudez, sus músculos, su piel sudada, los movimientos bruscos y fuertes, en sus armas emergiendo de estos cuerpos: el arquetipo del guerrero, alter ego del héroe.

Un paréntesis o excepción en esta larga trayectoria de omisiones del cuerpo humano como cuerpo de deseo, como eros corporal, sería Melchor Casals, quien, con sus cortos *Okantomí* y *Sulkary* (1974) llevó el misticismo de la música religiosa al cuerpo; así sus actores llegan a escenificar simbólicamente el amor corporal de los dioses. Una verdadera rareza en nuestra cinematografía.

En su afán por ficcionalizar la gesta revolucionaria del pueblo cubano, el cine desarrolló un gusto por los personajes teleológicos, hombres y mujeres envueltos en un proceso histórico trascendente cuya finalidad no está en el presente de la historia que se narra sino en un futuro utópico de bienestar. Así, los personajes principales estaban predestinados a una toma de conciencia, a encarnar y dar continuidad a un proceso histórico en formación. Los años ochenta hicieron una vertiente populista del trascendentalismo histórico que los precedía. La figura del miliciano desapareció tras la imagen del constructor y el cooperativista (metáfora rural del constructor), las funcionarias y los funcionarios se sentaron en sus burós y se atrincheraron tras los papeles y la comedia. El ICAIC, sin renunciar al cine histórico, se encaminó hacia un cine que intentaba mirar, describir y, en contados filmes, entender la sociedad cubana, no como una ciudad sitiada y amenazada, sino como una sociedad de cambios y contradicciones.

Aparece así un grupo social antes apenas tocado en el celuloide: los adolescentes. En *Una novia para David*[37] (1985), Orlando Rojas trae

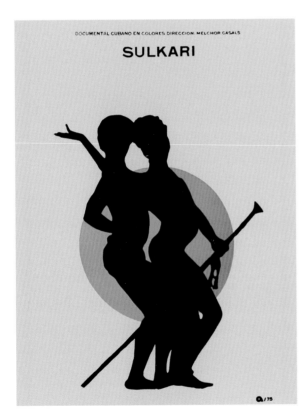

Cartel de *Sulkari* (1975) de Melchor Casals. Colección Cinemateca de Cuba

---

[37] El tema de la beca, que recién llegaba a nuestra literatura con un grupo de jóvenes escritores como Senel Paz, José Ramón Fajardo y Abel Prieto, entra en el cine con esta película basada en tres cuentos de Senel Paz. Coinciden estos años con el arribo de una nueva generación cinematográfica: un grupo de no tan jóvenes directores, fotógrafos, etc., han escalado en el sistema burocrático del ICAIC y realizan sus primeros largometrajes de ficción.

los jóvenes —un modelo de jóvenes— a un primer plano. Por primera vez un grupo de estudiantes está en el centro de la trama, su responsabilidad con la Revolución es estudiar, prepararse para el futuro, empuñan el libro como otros jóvenes empuñaron antes el fusil, pero la mirada sobre estos adolescentes sigue la misma polarización que caracteriza nuestro cine. La narrativa cinematográfica ha focalizado históricamente sus personajes desde el prisma del revolucionario. Esto hace que en la trama se centre[38] generalmente desde el revolucionario modelo y que cualquier desviación de ese modelo se convierta en un elemento a combatir o desacreditar en la historia narrada. No obstante, hay que agradecer a *Una novia para David* un nuevo modelo de belleza femenina donde la mujer no es atractiva por sus actitudes políticas, ni por sus similitudes con el modelo impuesto por el cine norteamericano (rubia, inocente, tetona y caderona) o por el modelo que viaja de la rumbera y la bailadora de bembé a la publicidad turística actual (trigueña o mulata, provocativa, tetona y nalgona) sino por sus sentimientos y empatía con la persona amada. Con Ofelia[39], la gorda, la tímida, se creó un precedente y se mostró una contraparte a las féminas enérgicas, masculinas, desconocedoras de Eros, que frecuentaron el cine cubano de las décadas anteriores. Muchos años después, en *Frutas en el café*, la misma actriz —María Isabel Díaz— interpretará otro personaje, esta vez no como símbolo de la belleza platónica, sino de la sensualidad. Aquella gordita insegura es ahora sensual, agresiva, seductora.

El adolescente se desprende de cualquier arquetipo de belleza erótica o apelativo sexual en la estatura que alcanzan los personajes interpretados por Laura de la Uz bajo la dirección de Fernando Pérez en *Hello Hemingway* (1990) y *Madagascar* (1994). A pesar de que los personajes son muy distintos en sus caracterizaciones, hay en ellos un intimismo que los aúna, el director apuesta en ambos casos por personajes no exteriores —declina la empatía por la belleza

---

[38] Entre las raras excepciones está la película de Tomas Gutiérrez Alea *Memorias del subdesarrollo*, donde el protagonista mantiene todo el tiempo una opinión crítica y cínica con respecto a la Revolución. Pudiera mencionarse también, del mismo director, *Las doce sillas* y *Los sobrevivientes*, cuyos protagonistas tampoco están integrados al proceso revolucionario. Su actitud crítica puede transparentar una voz autoral que pone en evidencia los problemas que aún subsisten en la revolución. La imagen impoluta y obligatoria del revolucionario se fue descascarando en el transcurso de los años noventa, ya por omisión, ya por traslado del conflicto a áreas donde los personajes no se dividen maniqueamente entre revolucionarios o no, ya porque el revolucionario impoluto se transforma en el intransigente, "el cuadrado".

[39] El modelo propuesto tendrá un éxito internacional imposible de predecir: la actriz, María Isabel Díaz, en el año 2006 se convirtió con la película *Volver* en una "chica Almodóvar."

física o por la trama romántica— sino interiores, existenciales. Con esas películas los problemas del adolescente son elevados al rango de problemática social y desvestidos de romanticismo ingenuo y circunstancial con que se ha querido caracterizar —en los medios audiovisuales, especialmente la televisión— a la adolescencia. Fernando Pérez escapa así de la tendencia reduccionista y los procesos de simplificación a los que tiende nuestra cinematografía.

Mujer transparente (1990) podría ser un buen ejemplo para ilustrar tales tendencias y procesos: toda la problemática de la mujer a lo largo de sus cinco historias se reduce a dos puntos: la incomprensión familiar, ya sea en el hogar que creó con su esposo, ya en la familia que la formó; o a la falta de un esposo compresivo, ideal. Es curioso que en la tercera historia, *Zoe*, de Mario Crespo, la artista rebelde que se enfrenta a las normas sociales se nos presente como rockera, antiacadémica, y con cierta desinhibición sexual. Sin embargo, su discurso es un lamento con tonos melodramáticos, cuando parece que seduce, en realidad se deja seducir. Su búsqueda no es estética sino sentimental, como lo demuestra su evolución en la trama, su escasa felicidad transcurre mientras el romance con su compañero de clase (dirigente estudiantil) apunta a una relación estable, tradicional. El abandono de él la sumerge de nuevo en su antigua rebeldía, con lo que la supuesta rebeldía queda como una extravagancia juvenil, o una táctica simuladora para llamar la atención de los hombres, o una consecuencia de su condición de mujer sola, ya caracterizada desde antaño en el cine cubano como mujer mala.

Los años ochenta y los noventa devuelven al cine las viejas figuras de la rumbera y la mulata bailadora de bembé que la Revolución creyó extintas, aunque el destierro de Eros se prolongó y aún se prolonga.

La bailadora de rumba reaparece transformada tímidamente, ahora como bailarina del cabaret con el modelo de Tropicana formando parte de la ambientación o decorado de las escenas. Tropicana se erige no sólo como modelo espacial sino que impone un tipo de bailarina mulata, alta, con traje de malla y trusa. Julio García Espinosa[40] retoma el espacio lujoso y

---

[40] Julio García Espinosa fue tal vez el único de los directores cubanos que no abandonó el cabaret ni las rumberas. En su obra estos íconos del cine prerrevolucionario sufren ciertas transformaciones: en su primera película de ficción *Cuba baila* (1960) abandona el cabaret lujoso de los años cincuenta para sustituirlo por un bar de mala muerte; sustituye el traje de vuelos de los tamboreros, típico en las películas de la etapa prerrevolucionaria, por traje de cuello y corbata; reduce el tiempo del baile y de cierta manera integra a la historia el espacio (lugar donde el protagónico se aleja del espacio hostil que es la familia y se ilumina con la solución de su conflicto); conserva algunos los roles y estructuras del modelo de los cincuenta:

popular del cabaret para la ficción con *Son o no son...* (1980). Luego, con excepción de *Un paraíso bajo las estrellas* (1999), de Gerardo Chijona, que desarrolla toda la historia dentro del cabaret, este espacio será generalmente escenario ocasional dentro de algunas películas posteriores.

Una verdadera rareza es *La Bella del Alhambra* (1989) donde Pineda Barnet recupera un modelo de rumbera que el cine no había explotado antes (ni ha utilizado después): el modelo teatral o vernacular, donde el baile, siempre acompañado del canto, está ligado a una microhistoria teatral que se representa en forma de *sketch*. En este quehacer *La Bella del Alhambra* es deudora de *Tulipa*, donde el espacio teatral vernacular se da no en el teatro, sino en la arena del circo. A diferencia de *Tulipa*, *La Bella del Alhambra* dejó un modelo corporal en la figura de Beatriz Valdés, tal vez porque a diferen-

cia de Gómez, Pineda construye, apoyado en la figura de esta actriz, con el vestuario, los bailes, el movimiento en el teatro, aquella imagen de hermosura física que ha quedado impresa en el imaginario de varias generaciones.

La vuelta al musical —*Patakín* (1982) de Manuel Octavio Gómez— revive también a la mulata bailadora de bembé. Esta figura tendrá en el futuro más trascendencia que la rumbera, ya que se convertirá hacia finales de los ochenta y a lo largo de los noventa en la puta por excelencia, la mujer libertina, seductora y hechicera de hombres, el *souvenir* tropical que ingresa como regalo en las coproducciones españolas. Siempre asociada con Oshún, puede recurrir a embrujos o amarres religiosos para retener al hombre. Como modelo disminuye y casi pierde sus dotes danzarias, no así sus prácticas religiosas: la selva es sustituida por el solar y en ese tránsito acompaña al cine durante toda la década de los noventa, durante la cual el cine abandona los espacios rurales por los urbanos. Desde *Adorables mentiras* (1991), de Gerardo Chijona, hasta *Barrio Cuba* (2005), de Humberto Solás, los personajes femeninos serán generalmente iguales, su concepción está definida por el *topos*: por una parte, la mujer del solar, negra o mestiza, zalamera, creyente, puta, mantenida o en busca de un hombre que la

el hombre que bebe solitario en la mesa; la prostituta, mujer fatal, que se le acerca; la relación que no cuaja entre ellos (bien porque el hombre está muy bebido o porque está muy bebida ella); el momento de la música. En su próxima película *Aventuras de Juan Quin Quin* (1967) las rumberas pasan a ser parte de la función del circo, carne en movimiento que se exhibe. Se sustituye la solista por una pareja de bailarinas de diferente raza. La mujer negra y la mujer rubia no solo bailan en trusa (bikini) sino que aparecen siempre en la película con este vestuario. El director juega a exhibirlas y esto es explotado en la comicidad de la historia y en la crítica a la sociedad que antecedió a la Revolución.

mantenga, con frecuencia termina siendo una jinetera[41]; por otra, la mujer de su casa (o su apartamento), blanca o mulata blanconaza, con vinculación laboral, no necesariamente ligada a creencias religiosas y generalmente inserta en una familia. Los cambios más bruscos de esta época se dan en la concepción del cuerpo masculino, que sufrirá una transformación con la entrada del homosexual varón en *Fresa y Chocolate*[42] (1994), de Tomas G. Alea y Juan Carlos Tabío. El hombre se vuelve entonces objeto del deseo del hombre, la figura masculina ruda, enérgica, decida, emprendedora, se amanera, se suaviza, se sale de la actividad[43] hacia la re-

flexión, el ocio, la cultura. Alea abrió la puerta a la antítesis de lo que el cine construyó como el personaje masculino, y esta puerta, tímidamente frecuentada por otros, aún se mantiene abierta. Como lo demuestra *El viajero inmóvil* (2007), de Tomás Piard, donde las relaciones homosexuales aparecen como pocas veces en nuestro cine sin una moralidad condenatoria, en un entorno de tensiones sexuales, a veces violentas, en la búsqueda de un lirismo del cuerpo.

Tanto *Fresa y Chocolate* como *El viajero inmóvil* nos hacen ver lo despacio que avanza el cine nacional en lo tocante a la representación y complejización de la sexualidad, si lo comparamos con otras áereas del arte cubano como la literatura, la pintura o el teatro. No es casual entonces encontrar que en nuestro cine los discursos más interesantes sobre la homosexualidad masculina provengan de obras literarias o teatrales, como la novela *Paradiso* (1966), de José Lezama Lima; el cuento "El lobo, el bosque y el hombre nuevo" de Senel Paz, y el texto teatral *Chamaco* (2004), de Abel González Melo.

La mirada del cuerpo masculino como objeto de deseo dio cabida, en el cine de los noventa,

---

[41] Una curiosa excepción es *Frutas en el café* (2003), de Humberto Padrón, donde, si bien la prostitución sigue estando destinada a los habitantes del solar, la jinetera es blanca.

[42] Antes de Alea la figura homosexual había asomado en *La Bella del Alhambra* (1989), también relacionado al ámbito cultural (el teatro), pero esta figura aparece desprovista de toda vida sexual. Su papel está ligado a la realización de Rachel (la protagonista), es presentado como una persona que es toda bondad, débil, engañado y víctima de todos, su imagen es la de un conmovedor personaje trágico.

[43] En su libro *¿Tener o ser?* Erich Fromm advierte que en el uso moderno la actividad «se define como una cualidad de la conducta que produce un efecto visible mediante el gasto de energía [...] La actividad en el sentido moderno se refiere solo a la conducta, y no a la persona que hay detrás de la conducta» (Fondo de Cultura Económica, México D. F., 1998, p. 51). Entiendo la palabra actividad en dos sentidos: uno sería el que define Fromm para analizar el mal llamado cine de acción, donde la peripecia de los personajes, continúa e infinita, no representa cambio sustancial en la trama del film. La otra forma de actividad, a la que

me refiero en este comentario, es una característica que adornó a los personajes que simbolizaban el modelo del revolucionario (el miliciano, el dirigente no burocratizado) que hacía que estos personajes se representaran siempre en movimiento, trabajando, integrados a eventos propios de la revolución.

al jinetero. La prostitución, que había sido para el cine un oficio de mujeres, deviene también profesión masculina, con numerosas similitudes con la jinetera: una procedencia similar (generalmente el solar), un tipo racial común (mulatos o negros), un deficiente nivel cultural, como se puede ver en la película *Entre ciclones* (2003), de Enrique Colina. Este esquema ya formalizado del jinetero encuentra una variante en *Chamaco* (2010), de Juan Carlos Cremata, donde la prostitución masculina dejó de centrarse en la seducción de la mujer, y se complejizó al desbordar el marco (cinematográfico) de la homosexualidad al introducir una nueva figura, el bisexual.

Aunque el acto sexual comienza a ser filmable, la cámara se atreve a realizar planos generales de escenas de sexo, a abrir el primer plano hasta el busto para mostrar los senos de la mujer. Esas escenas de sexo funcionan en el filme como escenas de actividad, no como parte de la acción dramática: no pasan de ser un adorno en la historia y están filmadas de una manera esquemática.

Parecería como si dos o tres posiciones fueran la única representación cinematográfica posible del encuentro sexual entre humanos, allí lo importante es destacar los senos de la mujer y ocultar rigurosamente su vulva, o cualquier forma donde se visualice la penetración,

o el pene. El hombre casi se borra detrás de la postura que destaca a la mujer y el cliché internacional (jadeos, gemidos) del sonido del sexo. Es curioso que este esquema se parezca tanto al de los tabúes de las revistas frívolas de los años cincuenta. De cualquier manera, Eros sigue fuera del set de filmación. Una de las pocas películas que interroga la sexualidad nacional es *La vida es silbar* (1998) de Fernando Pérez. El personaje de la bailarina de ballet (una mirada de la bailarina muy alejada de la del cabaret) y su conflicto sexual, que llega hasta el área del trabajo, es una rareza en el cine cubano. Hay más erotismo y pasión en su baile clásico, que en toda la rumba bailada en nuestro cine y en las escenas de sexo que esporádicamente se puedan encontrar en él.

Una excepción en el cine cubano son los filmes de Jorge Molina. En su discurso el sexo no es pasión, es agresión. Sus personajes no disfrutan el sexo sino que el sexo se apodera de ellos como una obsesión y en no pocas ocasiones los conduce al horror. El sexo es el punto de partida sobre el cual giran sus historias: su cámara se detiene en estas escenas, las alarga en primeros planos, en detalles, donde la mujer es centro dominante, poseedor; y el hombre queda atrapado, devorado por el sexo femenino.

Existe un vínculo entre Fernando Pérez y Jorge Molina: el segundo ha sido actor del pri-

El caso de la calle O´Reilly, animación, 4´, 2007

Dir. Raydel Araoz, animación, 4´, 2007

El caso de la calle O´Reilly (2007) de Raydel Araoz.

mero. Salvo por esta coincidencia, representan dos extremos en el enfoque del sexo de nuestro cine, el lírico y el grotesco. Tanto es así, que en una película como *Madrigal* (2005) donde se representa una distopía sexual, Fernando evita constantemente el grotesco. Sus planos generales de cuerpos desnudos copulando por las calles son frescos vivientes, bien armonizados en la escenografía, la vejación de los protagónicos evita cualquier acercamiento al porno, tal vez lo más grotesco sea el personaje que interpreta Molina, como si con ello se hiciera un homenaje al otro director.

En las afueras de la industria cinematográfica directores como Jorge Molina, Humberto Padrón e Ismael Perdomo se interesaron en mostrar las relaciones sexuales, no en su sentido romántico, sino a través de una mirada descarnada, agresiva e incluso desprovista del amor. En *Frutas en el café* (2003), Humberto Padrón extiende la escena de la violación de la prostituta, para darle mayor realismo —tal vez influido por *Irreversible* (2002) de Gaspar Noé—; en *Mata que Dios perdona* (2006), Ismael Perdomo nos muestra un asesinato por asfixia, esta vez no por las almohadas con que el cine nos tiene acostumbrados, sino mediante una vulva en la cara del protagónico.

Esta inclinación hacia lo grotesco en el sexo y el sexo como algo grotesco, encuentra en *La obra del siglo* (2015) de Carlos Machado Quintela cierta peculiaridad. Machado logra que las relaciones sexuales tensen el orden familiar, sin acudir a la habitual lucha de poder entre sexos opuestos. Más bien presenta el conflicto como conflicto de la masculinidad y como crisis del orden patriarcal en una familia integrada solo por hombres de tres generaciones distintas: Otto, el abuelo; Rafael, el hijo; Leo, el nieto. La escena donde Rafael y su novia Marta tienen sexo, se vuelve grotesca por el espacio y por los cuerpos muy lejanos de los estándares clásicos de belleza[44], sin embargo ese mismo espacio y esos mismos cuerpos se tornan líricos por la intimidad de los amantes, por el fetichismo lingüístico que ambos comparten con el idioma ruso. Fetichismo que convoca a los fantasmas, a los muertos o quizás —si nos atenemos al realismo— a la alucinación de Rafael. Así aparece, en medio de los juegos sexuales, la profesora de ruso corrigiendo la pronunciación de Rafael mientras este está excitando, con su ruso deficiente, a Marta. Para Machado el acto sexual no es tan importante como los juegos sexuales.

Lo sexual en *La obra del siglo* escapa del ámbito de la pareja y se convierte en ejercicio del poder. La exigencia de Otto, el cabeza de familia, de tener sexo con la mujer que el hijo ha llevado a la casa llevan a lo patético la estructura patriarcal de la casa. El abuelo —por celos, por maldad, por retener el poder jerárquico en la

familia—, con su pene flácido, reclama el derecho de pernada, toca a la puerta del hijo, y este sale como a defenderse. Una bronca de penes, amparada en la comparación de los genitales, que pudiera recordar los juegos infantiles, se torna signo violento y decadente. El sexo, reducido a la exhibición de los genitales, es aquí un código de relaciones culturales, una forma de humillación y de establecimiento del poder en la familia.

El camino del grotesco en lo sexual ha abierto puertas hacia zonas como la zoofilia. Aunque las relaciones sexuales con animales son aún una rareza y un escándalo en el cine cubano, el nuevo siglo ha abierto la caja de Pandora y los demonios han ganado protagonismo. Si observamos el arco que describen los filmes *El hambre* (2003), de Raydel Araoz; *Molina´s Ferrozz* (2010), de Jorge Molina, y *Ladridos* (2015), de Fernando Fraguela—, tres historias con fetichismos caninos— veremos como las escenas sexuales son cada vez más largas y dramáticamente importantes.

Un cine con una violencia sobre lo sexual, sepultada durante mucho tiempo por los modelos de vida familiar de nuestras pantallas, se ha despertado. Películas como *Ladridos* (2015) de Fernando Fraguela traen no solo el sexo al centro del drama, sino que también introducen otro imaginario dentro del modelo clásico he-

---

[44] En este, el personaje femenino es especialmente trasgresor, esta fuera del canon de belleza para el cine cubano, el cual ha sido muy cuidadoso con tomar para las escenas sexuales mujeres dentro del patrón de belleza tradicional.

terosexual, al incluir un perro en una relación de pareja entre un hombre y una mujer. Ni en *El hambre* ni en *Molina´s Ferrozz* el acto sexual está relacionado como ninguna variante del modelo clásico de la pareja heterosexual. En *El hambre*, dos hombres violan a un perro, en *Molina´s Ferrozz* una mujer disfruta de un *cunnilingus* canina. En Fraguela la parafilia está en el centro del drama. El componente zoofílico dentro de este cortometraje va *in crescendo* hasta revelarse como eje del conflicto. En ese instante, el modelo de mujer del cine nacional —seducida, complaciente, fiel amante, y defensora de la unidad familiar— cede a las desviaciones del esposo; pero el hombre da un paso más, ya que su amor no es para la esposa modélica, sino para la mujer convertida en perra, condición que adquiere una vez que la fuerza a copular con el can. El paradigma de la esposa fiel y complaciente estalla ante la vejación.

El despertar de las llamadas perversiones en nuestra pantalla ha quebrado el templo de la familia, visto como una unidad (una institución) heteropatriarcal, y de esta eclosión ha nacido una violencia doméstica, más oscura y severa que la mostrada por la publicidad oficial. *La costurera* (2016) de Rosa María Rodríguez ha tocado la violación infantil, tema tabú no solo en el cine, sino también en la familia cubana, y se propone verla desde la mirada de la niña, de manera que lo pueril, el universo infantil, se enfrenta a la violencia del sexo, y desde la metáfora de la imagen dentro del universo de la niña se genera una venganza: la castración, el derribo simbólico y físico del falo.

Vista desde el cine tradicional, la familia había sido generalmente una tribu, varias generaciones conviviendo en un mismo espacio, la casa familiar, una mujer soltera con sus hijos trabajando para mantenerlos o, en el mejor de los casos, un matrimonio sin hijos. La idea de familia, su representación en el cine, ha tenido un eje matriarcal dentro de las leyes patriarcales, donde la mujer es la responsable de los hijos, pero también quien trabaja para proveerlos, además de garantizar el funcionamiento de la casa. Hoy otros modelos —aún escasos— parecen asomarse al nuevo panorama.

En el documental la voz del sujeto sexual apenas se ha explorado, quizás porque el interés por el colectivo y por el ser social ha matado al individuo. Quizás ahora que la documentación de lo cotidiano va aplacando la épica, el individuo pueda emerger en el *oikos*. Los documentales *Arquetipos* (2009), de Raydel Araoz, y *El mundo de Raúl* (2009), de Jessica Rodríguez, pudieran ilustrar esta sensación. En *Arquetipos* se escuchan las voces de distintas mujeres opinando sobre sus senos y sobre el falo. El pene es objeto de placer o de desprecio, pero colocado en el discurso, mostrado como objeto simbólico en relaciones lésbicas. El corto da voz a la mujer, normalmente silenciada en una mirada masculina de la sexualidad. El documental *El mundo de Raúl* es casi lo contrario, busca una individualidad, al registrar una familia donde el hijo, ya un hombre mayor, vive con su madre porque no puede tener relaciones estables con mujeres. Raúl es un *voyeur*, su satisfacción sexual se realiza a través de observar y masturbarse, del goce por no ser descubierto, y por esta condición está condenado a no encajar en el modelo social de la familia tradicional, que él anhela. Más que una entrevista, Rodríguez logra una confesión, que acerca al público a la problemática de esa figura —el masturbador oculto— tan mal mirada en nuestra sociedad. Jessica Rodríguez reactualiza los recursos del

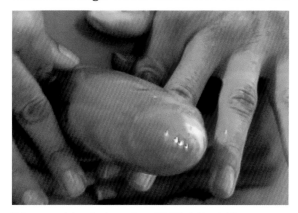

Fotograma del corto *Arquetipos* (2009) de Raydel Araoz.

melodrama para humanizar a su personaje. Este ejercicio quita toda sexualidad o goce por lo sexual, sin que por ello el sexo pierda protagonismo en el drama.

Estos cambios, aún excepcionales en nuestro cine, podrían ser pequeños indicios de otro concepto del sexo, de lo sexual y del cuerpo. Tal vez, me digo mientras retiro mi vista de las revistas, de mis apuntes y la imagen de María Antonieta Pons se desvanece, leve, como un atardecer.

RAYDEL ARAOZ (La Habana, 1974). Ingeniero eléctrico. Escritor, cineasta, Bachiller en Teología. Ganó la Beca de Creación Onelio Jorge Cardoso del Concurso de Cuento La Gaceta de Cuba 2003 con "Las fiebres" y el Premio Carpentier de Ensayo con el libro *Las praderas sumergidas. Un recorrido a través de las rupturas* (2015). Ha publicado: *El mundo de Brak* (2000), *Réquiem para las hormigas* (2008), *Casa de citas* (2014), *Imagen de lo sagrado. La religiosidad en el cine cubano (1906-1958)* (2017). Compiló, en coautoría con Mercedes Melo, *Graffiti, signos sobre el papel. Antología de la poesía experimental cubana* (2004) y Paraninfos. Muestrario, ensayo, historización y augurio de las rupturas líricas a través de un siglo y cuarto de poesía (2017). Como cineasta ha dirigido: *La escritura y el desastre* (2008, fic.); *La estación de las flautas* (2010, fic.); *Retornar a La Habana con Guillén Landrián* (2013, doc.) codirigida con Julio Ramos, *La Isla y los signos* (2014, doc.), entre otros filmes.

CUANDO EL INTELECTO ABRIGA LA DESNUDEZ

La mirada martiana al desnudo pictórico

> La desnudez del cuerpo humano es su imagen, es decir, el temblor que lo hace cognoscible pero que sigue siendo, en sí, inaferrable. De aquí la fascinación tan especial que las imágenes ejercen en la mente humana. Y justamente porque la imagen no es la cosa sino su cognoscibilidad (su desnudez), ella no expresa ni significa a la cosa; y, sin embargo, en la medida en que no es sino el donarse de la cosa al conocimiento, su despojarse de los vestidos que la recubren, la desnudez no es algo distinto de la cosa, es la cosa misma.
>
> Giorgio Agamben

La necesidad de proteger el cuerpo ante cambios temporales y heredar la conveniencia o el acuerdo de ocultarlo, no supone un desánimo al reconocimiento individual de la primera piel manifiesta: el rostro. Ahora, la curiosidad de ver —y antes—, de imaginar la desnudez ajena, que se acrecienta por la duda de "cómo será alguien", atañe también al rostro, delator de expresiones. Luego, una vez que conocemos la persona cara a cara y nos figuramos una idea afín o no con la realidad, el conjunto cubierto pudiera importar.

El cuerpo abrigado, pronto a descubrirse para el baño y la cópula (o viceversa); la pose en el sosiego del ánimo no perturbado por el deseo, la confirmación de cómo nos va con nuestro cuerpo más que con nuestro sexo frente a un espejo u otra persona, es una constante en el trayecto vital que, muy pocas veces, deja de sorprender cuando la reflexión se centra en el acto de observarse y observar. Despojados llegamos al mundo para, de paso, envolver, lo que a la muerte le entregamos: el cuerpo horizontal y solitario del último desnudo, acaso presto a ser cubierto.

Ahora, ante tantas definiciones, conviene aún preguntarse: ¿Qué es el desnudo? Pensarlo supone tantear una definición personal. El desnudo vendría siendo la manifestación más visible del yo, la imagen primera y natural de la persona. La cuestión de lo natural quedaría tal vez en entredicho, por cuanto el cuerpo pudiera reflejar ciertas añadiduras o arreglos estéticos. Sin embargo, siempre serán menos que cuanto la vestimenta proporciona. Eso sí, el desnudo, al provocar o espantar, también participa del juego de los ocultamientos. De ahí que sea un desatino rechazar el alcance semántico por la derivación factible de exigirse "desnudar al desnudo". Entonces, ¿cuándo el desnudo es artístico? Cuando al denotar más que una pose o el logro de haber sido bien representado, captado o filmado, connota asociaciones culturales.

Por la apreciación estética en la obra de arte pueden pretender los desnudos corporales la perdurabilidad, aunque el papa Paulo IV en 1559 le encomendara a Daniele da Volterra (*Il Braghettone*) arropar las partes íntimas de las figuras del *Juicio Final* de la Capilla Sixtina concebidas por Miguel Ángel; aunque Luis I de Orleans destruyera a cuchilladas el cuadro *Leda con el cisne*, de Correggio. ¿Habría logrado la italiana Artemisia Gentileschi representar con esos niveles de detalles realistas, donde la belleza femenil combate contra el pavor de una escena de asesinato hasta realzar a su *Judith decapitando a Holofernes*, como si ella (Gentileschi) reclamara una compensación por cuanto le sucedió en su vida? ¿Qué hubiera sido de la Real Academia de Bellas Artes de San Fernando y cuál fuera hoy la situación del Museo del Prado si Anton Raphael Mengs no hubiera intervenido para salvar los desnudos de obras maestras que fueron mandadas a quemar por Carlos III en 1762?

Hoy nos parece risible que *La maja desnuda* de Goya se censurara. Pero, claro, la apreciamos desde nuestro presente, donde hemos asistido ya a competitivos y sobresalientes atrevimientos estéticos-artísticos. José Martí, quien opta por comentar más *La maja vestida*, recomienda no solo para el artista, sino para el ojo del crítico que se detiene ante un obra: «En la buena pintura, o se espiritualiza el cuerpo y se le hace, haciéndolo dramático por su continente, digno de llamar en primer término la atención, —o no se perjudica la expresión de los rostros, ni la serenidad del asunto, llamando la atención hacia partes del cuerpo inmóviles, con colores salientes».[45]

Entre lo que pudo ver y lo que quiso decir sobre el desnudo en la pintura, en tanto legitimación artística y cultural, el interesado reconocerá un conjunto de discursos estéticos de autores distintos y distantes en épocas. No obstante, le permitirá además confrontar muchas de esas poéticas a partir de la mirada martiana sobre el cuerpo desnudo, semidesnudo y cubierto; una mirada que se reviste, por supuesto, de una concepción atendible, portadora de un credo estético de plurales matices, en la que sobresale el acierto sicológico. En ella se aúna además el biógrafo y el cronista con el crítico, en la condición de poeta curioso que pinta

---

[45] Jose Marti: "Apuntes", *Obras completas*. Editorial de Ciencias Sociales, La Habana, 1975, t. 15, p. 139.

con verbo armonizador y asocia mediante el análisis interartístico.[46]

Desahoga Martí su mirada en una prosa narrativa y plástica que también desnuda, pues él le exige al espectador voluntad desprejuiciada e imaginación aptas para descubrir o penetrar (en) la obra de arte. «En el acto de la intelección, la imagen está perfectamente desnuda y —escribe Avicena— "si ya no estuviera desnuda, sin embargo se vuelve tal, porque la facultad contemplativa la desnuda de modo que ninguna afección material permanezca en ella". El conocimiento cumplido es contemplación en una desnudez de una desnudez».[47] Despojar primero con la mirada para en seguida abrigar con el intelecto. Desnudar al desnudo o como exhorta la expresión popular: "desnudar con la mirada". Ello no supone un rechazo al arranque o el morbo añadidos por el observador, quien pudiera reconocer, en efecto, que:

> "lo real" martiano subyace, en gran medida, en su discurso del cuerpo silenciado. El registro del cuerpo a lo largo de su literatura entraña un sentimiento profundo del conocimiento del sí propio y del hombre en general.

Se presenta como una necesidad ineludible que no se relaciona, necesariamente, con el placer sino, por lo general, con su contraria, la abstención virtuosa, aunque torturante, inherente a su aspiración de constante perfeccionamiento individual y a su empeño de mejoramiento social.[48]

Al intentar comprender o poseer con la mirada la desnudez, no obstante Martí refleja en una disposición nada despreciable, cuánto le estimula el cuerpo representado artísticamente. Pide al espectador lo que ya puede ser una ganancia del pintor.[49] No es casual que al comentar el *Friedland* de Jean-Louis-Ernest Meissonier señale:

> Hay naturalezas o grescas, que necesitan ver la sangre. Si habéis visto cadáveres desollados, ya conocéis ese color cienoso que Meissonier emplea en sus cuadros. Parece el suyo ojo de trilobites, que veía en redondo, con perfección implacable. Pinta pequeño, pero ve grande. La carne le seduce a tal extremo que da su color a las sendas de sus jardines y a las paredes de las casas. Pero su

[46] Ver: David Leyva González: *Notas de un poeta al pie de los cuadros*, Centro de Estudios Martianos, La Habana, 2016.

[47] Giorgio Agamben: *Desnudez*, Adriana Hidalgo editora, Argentina, 2011, p. 120.

[48] Mayra Beatriz Martínez: *Martí, eros y mujer. Revisitando el canon, otra vez*. Centro de Estudios Martianos, La Habana, 2014, p. 17.

[49] Léase su texto "Edouard Detaille".

composición es graciosa, a despecho de su torvedad y constante estado de ira; su invención es profundamente artística, y eleva los caracteres enérgicos de su persona; y si no acierta a cubrir con un sobrecolor ligado y definitivo las desnudeces de su análisis, acaso para lucir mejor la inimitable fuerza de éste, ha habido pintar como no se pintaron jamás el ojo del caballo, la mirada de Napoleón, y el sonriente y festivo azul del cielo.[50]

No obstante, el lector puede percatarse, al repasar los comentarios martianos sobre *El Cristo ante Pilatos* del húngaro Mijail Munkacsy, de un análisis inverso al hecho de proponer la mirada que desnuda. Pues en el apasionado y reflexivo comentario, el crítico advierte que, por tema y hasta por escena, el pintor ha tenido que auxiliar no solo al héroe religioso sino al hombre que es acorralado por tantas miradas entrometidas. «Ha acumulado de intento dificultades que parecían insuperables, ha querido hacer triunfar por su propio fulgor la mente humana: ha logrado investir de suprema belleza una figura fea: ha conseguido dominar con una figura en reposo, toda la fiereza y brillantez de las pasiones que se la disputan en animado movimiento».[51]

Si se relee el artículo, uno se percata de la insistencia en el infinito *ver* y en el predominio del sustantivo *ojos*. Lo que los ojos muestran, lo que los ojos ven. En rigor, son los puntos de vista mostrados por Martí lo que enriquecen y complejizan lo acontecido a la figura más que la descripción del rostro de Cristo. ¿Es triunfador artísticamente este Cristo de Munkacsy por su asunto y sus logros técnico-formales? Acaso haya que asegurarlo si, como sugiere Martí, responsabilizamos a una obra donde las miradas sobre otras están al descubierto para incrementar el secreto «del singular poder de esa figura» y la curiosidad del ojo atento que integra. James Joyce, en su artículo *Ecce Homo*, coincide con el cubano en cuanto al poder de quienes observan y lo que los ojos expresan en el cuadro de Munkacsy. Ha tenido a bien reconocer el investigador Alejandro Cernuda:

Alrededor se encuentran los soldados. Expresan orgulloso desprecio. Contemplan a Cristo como un objeto expuesto a la curiosidad general, y a la multitud como a un grupo de bestias sueltas. Pilatos carece de la dignidad que su cargo hubiera podido otorgarle, debido a que no ha sido lo bastante romano para echar a patadas a la multitud. Tiene el rostro redondo, la cabeza pequeña y lleva el cabello corto. Está dubitativo, sin saber qué

---

[50] José Martí: *OCEC (Obras completas. Edición crítica)*, La Habana, t. 25, pp. 235-236.
[51] José Martí: "El Cristo de Munkacsy", ob. cit., t. 15, p. 346.

hacer, con los ojos muy abiertos y expresión febril. Viste la blanca y roja toga romana.[52]

Ahora bien, antes de adentrarnos en los criterios y atenciones de la crítica de José Martí sobre el desnudo en la pintura, es preciso atender el ideal de belleza, «el objeto de deseo» en el siglo XIX, donde el desnudo distaba ya de tener las implicaciones receptivas que tuvo en la Antigüedad grecolatina y que, en el Renacimiento, comienzan a cambiar en virtud de una suerte de heroicidad ganada por la figura del artista, quien firma orgullosamente la obra y por tanto se hace notar.

El artista, como uno de los grandes protagonistas del Renacimiento, es quien tratará de mitigar —mediante sus creaciones— el fenómeno de secularización que, promovido por las diversas formas del saber, caracteriza asimismo la temprana modernidad. Su heroicidad le viene dada por esa pretensión de aunar al ser humano con el mundo desde las ganancias artísticas, estéticas y sociales que, a través de sus producciones, conquista. Con ello asegura no solo su satisfacción física y espiritual, sino el jornal para vivir.

Al creador como héroe no es conveniente asociarlo a un contexto precedente al Renacimiento. Acaso sea lícito concebirlo como tal a la luz de aquella temprana modernidad, en que su obra deviene motivo de consideración estética. En la Grecia antigua por ejemplo, no pasa de ser un artesano necesario para el cumplimiento de determinadas funciones. Ante el arte griego o el medieval sentiríamos —al decir de María Zambrano— «la necesidad de detenernos, antes que el impulso de acercarnos», un sentimiento contrario, toda una provocación, ante el arte del Renacimiento. La propia pensadora malagueña recuerda en *El desnudo iniciático*:

> Sobre todo a partir de que el rastro de la Edad Media se extinguiera en nosotros, ha tendido a creerse, y a darlo por supuesto inclusive, que el desnudo siempre tuvo que ver con el placer o, al menos, con el claro esplendor del cuerpo humano. Esto ocurrió, sin duda, en el Renacimiento. Pero en la antigüedad en este caso, romana, allá por el siglo segundo antes de Cristo, brotó el preciso testimonio de que alguna vez no fue así.[53]

La manifestación pictórica es una de las cartas triunfo del nuevo héroe moderno. El terreno

---

[52] Alejandro Cernuda: *El pintor Munkacsy por Joyce y Martí*, publicado el 23 de junio de 2014. Disponible en: http://acernuda.com/Articulos/Post/2014-06-pintor-munkacsy-joyce-marti.

[53] María Zambrano: *Las palabras del regreso* (Artículos periodísticos, 1985-1990). Edición y presentación de Mercedes Gómez Blesa. Amarú Ediciones, Salamanca, 1995, p.93.

ya estaba abonado por una hornada de artistas que consideraron el discurso pictórico bizantino y el arte romano cristianizado. La revolución pictórica de Giotto, creador de transición, constituyó el principal punto de partida de la naciente pintura toscana. A partir de sus consideraciones al objeto estético, los artistas futuros harían significativas proezas. Las conquistas formales de Giotto, como el propósito en cierne de otorgarles corporeidad a sus figuras, así como el ánimo de representar formas espaciales de tres dimensiones, lo enaltece como el precursor de los formalistas florentinos. Pero aún su obra acentúa lo cúltico-religioso, lo simbólico-epistémico e incluso la intención pedagógica; funciones que, si bien no son del todo suprimidas en los siglos XV y XVI, están ceñidas al horizonte medieval.

El artista, que se siente héroe a partir del Renacimiento, va "consumiéndose" gustoso en la medida que obra. Y al revelar o consolidar su discurso plástico, en el que sobresale la figura humana, no teme ser desplazado por la creación toda, puesto que puede garantizarle su ensalzamiento, el placer estético de otros, su supervivencia cuando no su holgura económica y hasta títulos honoríficos. El propio José Ortega y Gasset recuerda que el flemático artista barroco Diego Velázquez hubiera pintado más, de no haberse interesado tanto en adquirir reconocimientos aristocráticos.

Aunque el pintor tributa a un conocimiento que conforma el canon de la época, ansía que su propuesta sea aceptada por una reducida minoría que lo patrocine. Trabaja por encargo, pero intenta negociar también con ricos y mecenas el transcurso y destino de su creación. En suma, él se encuentra siempre a la zaga de la más completa libertad. Ningún héroe ha magnificado tanto a una época como el creador renacentista. Aunque su obra no expresa su contexto, la época no desea prescindir de aquélla como testificación histórica. La creación es el signo de una manera de asumir el hecho artístico por determinado artista. Ahora, ¿cómo se inscribe el ideal del desnudo en el Renacimiento?

Tanto en la Antigüedad como en el Renacimiento el ideal de cuerpo humano se perdía en la representación de una generalidad. Lo que no significa que hubiera una única tipicidad modélica ni para mujer u hombre. Al viajar a Venecia, Alberto Durero aprende a representar el desnudo humano. En la Reina del Adriático viven Giorgione y Tiziano, quienes con sus Venus no esconden sus intereses por reproducir imágenes de desnudos femeninos. De ellos asimila Durero.

Así, el cuerpo masculino surge como el de valor más importante, porque representa al héroe, al atleta, al rey, al emperador, al político… es decir, los abstractos más cercanos a la deidad; mientras que el cuerpo femenino y el de otros individuos sociales, como esclavos y eunucos, en un período Antiguo, […], estaría ligado más bien a papeles subordinados, inferiores, objetuales; como una condición impuesta, que causará un sentimiento de indiferenciación.[54]

La individualidad, tanto para artista como modelo, es una ganancia ya identificable a las claras en el siglo XIX. Pero cien años antes, «bajo diferentes técnicas y soportes […] de Boucher y Fragonard respectivamente, son imágenes paradigmáticas de cuerpos femeninos, en los que —si bien por un breve periodo de tiempo—, la mujer no es únicamente objeto y elemento receptivo de la pasión del otro, sino que también ella participa con desinhibición de los placeres de la carne».[55]

Siendo colaborador de *The Hour,* José Martí escribe "El desnudo en el salón", donde se detiene en las piezas de algunos creadores franceses (Lefebvre, Perrault, Beaumont, Voillemont, Henner, Moreau, Dantan, Bartlett, Bompland).

Aquí despliega mucho más que un criterio sobre el desnudo no como tema, sino como «una forma de arte»[56] porque, ¿convendría hablar de "pintura de desnudo o de la carne"? El pintor tiene que probarse en llevar al lienzo la piel como elemento complementario y estético en general.

El desnudo, «la piedra de toque de los pintores», —piensa Martí— no debiera representarse como mera exhibición sino para expresar una idea. El desnudo artístico puede ser consecuencia de un acontecimiento real y devenir documento histórico; eso sí, siempre sujeto a una provocadora representación del cuerpo femenino, de la mujer idealizada, quien debe tentar y encantar. «La corporeización sensual, sin embargo, se produce de manera vigorosa, aunque escamoteada por la dimensión estética: así, belleza y deleite comienzan, confusamente, a andar unidos. La erotización femenina resulta admisible en el espacio artístico —aún no en la vida cotidiana».[57]

Es Galatea la imagen y el personaje femenino más celebrado en *El desnudo en el salón*: «Hay otra mujer, toda idea a pesar de su hermoso cuerpo, todo símbolo a pesar de su forma

[54] Ólger A Arias R: "Hacia una nueva configuración del cuerpo humano en el arte", en *El Artista*, Número 8 / dic. 2011, p. 70.

[55] Erika Bornay: *Mujer y mito. El desnudo yacente*. p. 130. Disponible en: http://www.ub.edu/SIMS/pdf/PensarDiferencias/PensarDiferencias-08.pdf.

[56] Véase del historiador de arte británico Kenneth Clark su libro *El desnudo. Un estudio de la forma ideal*. (F. T. Oliver, Trad.) Alianza Editorial S.A, Madrid, 2006.

[57] Mayra Beatriz Martínez: ob. cit., pp. 96-97.

María Magdalena en la gruta (1876) de Jules Joseph Lefebvre.

humana, la *Galatea* de Gustavo Moreau. De nada sirve negar a dicho pintor esa fama que con gusto se concede a los vulgares lacayos de las costumbres ligeras y de los caprichos mezquinos y enfermizos de hoy en día».[58]

En sus *Apuntes* de París se refiere a fracciones del desnudo al disertar acerca de cabezas, brazos y senos, miradas y rostros para de inmediato evaluar los detalles, hasta completar una generalidad. Con justicia resume: «Y aquel puro rostro, aquella delicadísima cabeza, felizmente elegida, roba toda la insinuante provocación de aquellas formas llenas y exquisitas»[59] Asimismo señala: «ni la fastuosa *Baigneuse* de Perrault,

---

[58] José Martí: "Apuntes", *Obras completas*, Editorial de Ciencias Sociales, La Habana, 1975, t. 15, p. 295.

[59] Idem.

Galatea (1880) de Gustave Moreau.

compiten dignamente con aquella elegante y casta desnudez, con aquella pureza inimitable del seductor contorno de Fátima y Cloe de J. Lefebvre».[60]

Cuando el pintor logra dar con el color de la luz y el color de la piel, el desnudo comienza a ser artístico para Martí. «La carne no tiene más que un tono: hay que extenderlo, plegarlo, diversificarlo en sus propios matices, no cansar la vista con las viejas y rojas carnes flamencas, ni con esas caras blanqueadas con lechada matizadas de color fresa que tanto encantaban a los pintores ingleses del siglo pasado».[61]

Llama la atención que, por lo general, nuestro crítico admira siempre las sutilezas. Distingue la naturalidad de lo explícito y rechaza la búsqueda forzosa de la sensualidad en un desnudo. «Prefirió las soluciones ágiles y precisas de color a la usanza de Goya, aunque tampoco compartió el irrespeto y la moda modernista que afeaba el dibujo sin una mano de genio que sustentara esa deformación».[62]

Al referirse por ejemplo a la bañista de León Basile Perrault escribe: «más hecha para provocar que provocativa después de hecha, hermosa sí, pero sin esbeltez, sin gracia y sin pureza».[63]

¿Cuál es su ideal de desnudo femenino? Dos citas pudieran ilustrar lo que puede llegar a ser un gran desnudo pictórico para Martí en cuanto a idea y estética. En sus *Apuntes*[64]

---

[60] José Martí: "Apuntes", ob. cit., p. 256.

[61] José Martí: ob. cit., t. 19, p. 253.

[62] David Leyva González: ob. cit., p. 289.

[63] José Martí: *OCEC*, t. 7, 2003, p. 209.

[64] "El desnudo en el salón" y sus "Apuntes" —hay que decirlo— son harto interesantes para conocer muchos de los pintores admirados por Martí, pero distan estos textos de ser los más sugerentes sobre el contenido en cuestión.

se lee: «Sobresale Gérome por la lisura de las carnes, fidelidad de la copia, e irreprochable redondez de las figuras. Sobresalen estos méritos en "La bacchante"; mujer amplia y robusta, menos clásica ya, y más viva y original que la Frinea».[65] Luego, en un punto y no tan aparte: «C. S. de Beaumont hace largas y esbeltas mujeres. Tiende a la gracia, más que a la hermosura. Estudia los escorzos y los trata felizmente. No hay, sin embargo, espíritu en su carne».[66]

El siglo XIX se inaugura ya dominado por hombres y cultura judeocristiana heredada y catolicismo mediante tuvo sus preferencias por el desnudo femenino "al natural" contra la tradición académica historicista y de asuntos mitológicos. Olvidaba que a Adán, aunque cubierto por un vestido de gracia o de luz, como recuerda Giorgio Agamben, se le debía la primera "ostentación inconsciente" de su naturaleza en un mundo donde pronto surgiría Eva, quien lo acompañará en su ingenua desnudez. El arquetipo machista y heterosexista del canon humano provenía de la mirada masculina. ¿Una mujer desnuda en una academia de bellas artes en el siglo XIX? Una proyección amoral, sin dudarlo. Pero las mujeres se desnudaron en los estudios de pintores y fotógrafos. Se les hizo

creer que la sensualidad y la erotización eran propiedades de ellas. El artista estadounidense Thomas Eakins cambiará tal situación: será muy decidido al reconsiderar más que el desnudo en la propia academia.

Eakins asimila cuanto puede en París durante el período de 1866 a 1870. Allí aprende del realismo pictórico de Léon Bonnat y del arte de Jean-Léon Gérôme, amantes ambos del desnudo en la pintura. Observa muchas esculturas y recibe lecciones del maestro Augustin Dumont. Es en Francia donde se interesa asimismo por las posibilidades de la fotografía y sospechemos que se percata, antes que muchos otros, de las ventajas de la reproducción de la imagen real, para luego reacomodar una escena y crear mucho más que una atmósfera en un contexto bucólico. Se advierte en algunas de sus obras cómo se reafirma en superar el fetichismo del parecido entre imagen fotográfica y modelo. Su gracia como pintor de desnudos es incuestionable. Descubre con la cámara lo que luego (re)construye con el pincel, diría Susan Sontag.

En 1886 pierde su puesto de director de instrucción en la Academia de Bellas Artes de Pensilvania. Mostrar su propia desnudez ante sus alumnos (hembras y varones) y pedir de continuo que ellos también se desvistieran, escandaliza a la célebre institución. Eakins es un exhi-

---

[65] José Martí: ob. cit., t. 15, p. 293.

[66] Ídem.

Sin embargo, procura desde el inicio del texto ganar autonomía a través de sus alcances asociativos. Representa una legitimación de la propia escritura, al paso que testimonia las aventuras pictóricas de otros acaso ya olvidadas o desconocidas, perdidas o ausentes.

Hay un inicial intento del joven cubano por hablar sobre el desnudo en la *Revista Universal.* Aunque se limita a una mera mención, pues el artista Felipe Gutiérrez no quiso presentar, lo que hubiese sido propicio para el despliegue del maestro, entre otras obras, sus «estudios de desnudos IV». No es sino en el último de los textos (*Una visita a la exposición de Bellas Artes*) cuando, refiriéndose a *La muerte de Marat* (1875),[77] de Santiago Rebull (1829 - 1902), se detiene en otra pintura del hecho para destacar porciones de un desnudo:

Sin modelo, porque Marat no se reproducirá hasta que no se reproduzca la historia de la esclavitud europea, reguló los músculos, dio belleza artística a un torso de fiera, inclinó hacia atrás una cabeza en el momento de una suprema maldición, y contraído en el baño, comprimiéndose el corazón partido, con el tronco de encina a un lado, con la tabla mal cepillada sobre la bañadera, vertidos los papeles sobre el suelo, escritas unas líneas sobre un número del *Amigo del Pueblo,* cumplió el pintor en esta figura la verdad histórica, asombró con su armonía de detalles, acabó sin desagradable pulimento, un perfecto conjunto, y en un término de su lienzo, copió el instante en que el tribuno acaba de recibir la puñalada de Carlota Corday.[78]

Solo vemos a Marat que, hundido en una bañera, muestra su pecho descubierto. Muy cerca apreciamos papeles dispersos. A esta obra le antecede el óleo sobre lienzo *La muerte de Marat* (1793), del pintor francés Jacques-Louis David (1748-1825); también el de Paul Jacques Aimé Baudry (1828-1886), artista de otra generación que muestra interés en el famoso delito con su *El asesinato de Marat* (1860). David exhibe al político e intelectual sucumbiendo en primer plano. Carlota Corday no está en la escena. Asistimos así al último suspiro de un

---

[77] De lo escrito por Martí de esta obra, el académico mexicano Justino Fernández comentó en su estudio *José Martí como crítico de arte* (1951): «Es una pieza perfecta de crítica de arte, además, escrita con un ferviente entusiasmo, que no le impide un sentido de medida equilibrado. Es aquí que triunfó por primera vez Martí como crítico; más tarde dedicará otros párrafos excelentes a otras obras, pero a ninguna un ensayo tan exacto en su método, en su forma y en su contenido, ni de tal extensión».

[78] José Martí: *Obras completas.* OCEC, t. 3, Centro de Estudios Martianos, La Habana, 2000, p. 148.

hombre solo y derrotado. En el cuadro de Baudry, el también médico y activista yace muerto; hacia la derecha, arrinconada como escondiéndose, advertimos a la belleza girondina con el cuchillo entre las manos. Quince años después, aparece el mexicano Rebull para captar, tras la estocada, el dolor del presuntuoso varón y la presencia de su asesina asombrada tras haber dejado caer el arma blanca.

Aquí se obliga a toda admiración: después de dar el golpe, no pudo ser otro el movimiento de Carlota Corday. Cumplió y se aterró. Hundió y retiró el puñal; se llevó Marat la mano al pecho; dio un paso hacia atrás la joven, derribando una silla perfectamente colocada, y abriendo la mano derecha deja caer el puñal lleno de sangre, y levantando el brazo izquierdo inclina hacia un lado el cuerpo, como defendiéndolo de enemigos invisibles sin apartar los ojos del herido, ni detener la precipitación de sus pasos: que esta ha sido la magia del genio, sorprendiendo a la naturaleza en el difícil momento del horror.[79]

El detalle narrado justifica la acentuación del torso desnudo. Detalle descartable para David y Baudry por interés narrativo y resultado estético. Tres Marat que, al ser confrontados, complementan el crimen: del instante en que aún la asesina está en escena, pasamos a la agonía del «predicador de la libertad feroz»; para colmo, ella permanece allí, pues quiere comprobar que, en verdad, su víctima ha muerto. ¿Retroceder asociativo?[80] Evocación pictórica que nos convida a quedarnos con la fuerza escénica más que con el ímpetu agonizante de la víctima. La Historia motiva la osadía artística en el cuadro de Rebull. Ahora, el heroísmo personificado —si bien teatral— es una ganancia de la Corday. La Historia y el arte se tributan a un tiempo, aunque aquélla termine espantándose por las autonomías que se permite este último: «La realidad es casi siempre monótona, y la fantasía tiene como buen defecto el que una crítica recelosa tendrá nimio escrúpulo en perdonar».[81]

Tomando como referente la pintura de Santiago Rebull, José Martí aprovecha para colar ideas de su credo estético. En este desnudo deslucido por la victoria trágica de Carlota, por la presencia imponente de esa figura cubierta y elegante, lo más importante radica —según Martí— en hacer evidente que la sinceridad his-

---

[79] José Martí: *Obras completas*. OCEC, t. 3, Centro de Estudios Martianos, La Habana, 2000, p. 149.

[80] Conviene destacar que Martí no menciona las obras de los pintores franceses. Conoce la de David, y acaso la de Baudry. Ello lo exonera de establecer comparaciones.

[81] José Martí: ob. cit., t. 3, p. 151.

tórica necesita del artificio estético si de alcanzar valor artístico se trata. Valor artístico que se traduce en influjo o seducción espiritual. Y en «arte al servicio de la libertad». Este es un cuadro que se toma sus licencias históricas, pues mutila sucesos en torno al asesinato de Marat en virtud de ganancias estéticas. Pero repárese en la afinidad cara/cuerpo y en cómo tiene en cuenta Martí el tratamiento de la cabeza que ha cifrado ya una expresión de dolor, la derrota, el *pathos*.[82] No obstante, es el semidesnudo corporal quien mejor define al Marat de Rebull. Atienda el lector a la descripción de Martí cuando va de lo extraestético a lo artístico para centrarse en el «salvaje vigor» de la figura del asesinado.

La fidelidad histórica hubiera querido algo mayor la cabeza de Marat; pero la concepción estética hizo bien en desviarse en este pequeño detalle de la verdad. Ese torso sorprendente ha obedecido a todas las indicaciones del pincel: se levanta hacia los hombros: como que se arranca en curva de las caderas: tiene la verdad de la piel, el color del cutis en el baño, el tinte azulado de la sangre que acaba de recibir una brusca alteración. Es verdad que para Marat no puede haber modelo; pero tal vez debieran ser más señalados los músculos del hombro izquierdo y de la región torácica cercana. Esa es la figura, producida con todo su salvaje vigor.[83]

¿Pose ante la muerte? Sí. ¿Sensualidad por encima del sufrimiento? Desde luego. En su intento de imponerse a la muerte, la vida fracasa en el arte. La derrota tiende a ser más estética que la victoria. La estetización de la violencia por una causa justa, bien vale la pena en el encuadre artístico, piensa Martí. ¡Cuánto le hubiera gustado que la historia justificara el desnudo artístico de la Corday, verdadera protagonista del cuadro de Rebull! Aunque el crítico se muestra partidario de ciertas insinuaciones a quien le reconoce «belleza femenina» y «hermoso cuerpo», le toca apreciar a una dama cubierta, quien se gana su idealización no por divina sino por patriota. Si en la figura de Marat, Martí había

---

[82] Fue en la Antigua Grecia cuando, luego de representar un canon de belleza que favorece la figura triunfante del héroe y del atleta, se establece un equilibrio entre el período clásico y el sentimentalismo exagerado y trágico del período helenístico, aparece el *pathos*, que no es sino la expresión de la derrota, del dramatismo, el sufrimiento sobre todo en la escultura que después Francisco de Goya por ejemplo trasladaría a la pintura con cuerpos maltrechos y deformados, enfermos o mutilados. Y antes Bronzino con la figura del enano; José de Ribera con la representación del borracho.

[83] José Martí: *Obras completas. OCEC*, t. 3, p. 148.

atendido a sus músculos, cabeza... incluso examina el conjunto corporal, es cuando, enfocándose en Carlota Corday, uno aprecia análogos o sucedáneos del desnudo al leer «mano de mujer», «manos blancas y suaves de mujer», «hermosísima cabeza». Luego, no se resiste y se centra Martí en la desnudez del rostro que expresa belleza, asombro y arrojo: «¡Hermosísima cabeza, copia fiel de aquel severo rostro! Tiene a contracción de sus cejas, la griega corrección de su perfil, los varoniles rasgos de su barba»[84] y de ahí resume la situación: «Esa mujer está temiendo, está espantándose, está andando: se sale del cuadro, como se ha salido de trabas mezquinas y de enojosas tradiciones de escuela el genio del pintor».[85]

Carlota complementa el erotismo concedido por Martí al dolor estetizado de Marat. Podemos suponer que ella ha reído al entrar cuando el varón se baña, que es capaz inclusive de desnudarse para simular una seducción. A donde apunta Rebull es a insertar una escena de célebres y necesitados antípodas: odio/amor, sufrimiento/satisfacción, simpatía/rechazo, estabilidad/caída, silencio/lamento, cubierto/desnudo... ¿Confrontación genérica aludida y ambigua? Por qué no. Aunque el cubano prefiere

ajustar todo cuando se refiere a lo que califica de «dos exageraciones del espíritu».

La crítica de Martí resalta lo que la obra exhala en relato conflictivo por encima de los valores técnico-formales: la contraposición entre la víctima y el victimario; la vida y la muerte; el *pathos* de un semidesnudo sensual y el triunfo de una actitud más que de una expresión.[86] «Terrible acto heroico» de relaciones culturales aún impresionantes.

Resulta interesante que después de Goya y Velázquez, los pintores españoles más abordados por Martí en sus críticas sobre artes visuales, sean Raimundo Madrazo y Mariano Fortuny, quienes, de igual forma, pintaron desnudos; sin embargo, para el crítico cubano resultan más interesantes por el protagonismo que le concedieron a la luz, a pesar de que enfoca su mirada cuando localiza desnudos en la obra de los artistas mencionados.

Mariano José María Bernardo Fortuny y Marsal, yerno de Federico de Madrazo y cuñado de Raymundo, es el pintor español del siglo XIX que más admira porque resume lo que puede encontrarse en los maestros clásicos. Dibujante

---

[84] José Martí: *Obras completas. OCEC*, t. 3, p.149.
[85] Ídem.

[86] La expresión le interesa a Martí más que el rostro. Entre los varios ejemplos que pudieran mencionarse de los textos martianos léase cuanto comenta a propósito de *La demencia de Doña Juana*, de Lorenzo Vallés (José Martí: *Obras completas*, Editorial Nacional de Cuba, La Habana, 1975, t.15, p. 142.)

x

x

impecable, conocedor y triunfador de la luz y el color, Fortuny es muy celebrado por sus desnudos femeninos, como *La odalisca* y *La elección de la modelo*, pero de los maestros de pintura de la escuela catalana aprende a considerar los modelos masculinos. Ahí está su *Viejo desnudo al sol* y *El encantador de serpientes*, por mencionar dos de sus obras más conocidas.

Al detenerse en *El encantador de serpientes*, Martí se pregunta:

¿A qué encomiar la verdad de la alfombra donde el árabe esbelto está tendido, encantando a la serpiente; los verdes y los rojos del dibujo; la gracia del escorzo y de la perspectiva; la silla de montar caída a los pies del árabe, como su perro? La silla es como él,

La odalisca (1861) de Mariano Fortuny y Marsal.

elegante y fina: ella es la libertad; la vida fiera, en una nube de haschisch; la carrera que inflama el corazón; el turbión de arena en que resplandece la espingarda; la amiga en el peligro y la almohada en la muerte.[87]

¿Ha podido aludir mejor a un cuerpo de varón semidesnudo en un contexto de concentración y evasión al mismo tiempo? Narra una escena donde la vida humana se funde con la del animal; donde lo viejo contempla lo nuevo y el misterio de la existencia vital inunda y sobrepasa las ganancias formales y artísticas de esta obra.

Reclinado el pico sobre el plumón del pecho asiste a los encantos una grulla. ¿Dónde mejor que en aquel nocturno espacio están representadas la pregunta incesante del hombre y el misterio sereno de la vida?

¡Domémosla de jóvenes, y luego de bien curtidos y desnudos, volvamos a ti naturaleza![88]

Influenciado por Mariano Fortuny, Ramón Tusquets Maignon por su parte, se destaca por sus cuadros de tópicos históricos. Ahora, lo que llama la atención de Martí sobre Tusquets es su *Mendigo*, una pintura que concreta y generaliza el desnudo infeliz del pordioseo. La descripción es estupenda, aunque no más que la surgida a partir de la *Procesión de disciplinantes* de Goya.

Córreles la sangre que va del rojo del vio al morado del muerto. Allí una virgen, ciega y sin rostro, ¡oh pintor admirable! ¡Oh osadía soberbia! ¡Oh defecto sublime! Asiste a la flagelación llevada en andas. Los cuerpos desnudos, con el ademán, con el encorvarse, con los brazos, huyen el azote: blanco lienzo, para hurtar el cuerpo a la vergüenza, cuélgales de la cintura, y manchado de sangre. Aquél lleva por detrás los brazos atados a un madero. Estos, llevan velado el rostro, y el resto, como los demás, desnudo. Envuelta la cabeza. Por debajo del lienzo, adivinase por aquellos huecos los ojos aterrados, la boca que clama. Procesión, gentes que miran, noche que hace marco y da al cuadro digna atmósfera, estandartes, trompetas, cruz, faroles. ¿Forma? Los desnudos son admirables. Robustos músculos de las piernas. Variadas posturas, todas de hombre doliente que esquiva la fusta, siéntese el peso y el dolor del último latigazo en todos esos

---

[87] Jose Marti: "El arte en Nueva York" en *Obras completas,* Editorial de Ciencias Sociales, La Habana, 1975, t. 19, p. 318.
[88] Ibídem, p. 319.

cuerpos que para huir los nuevos se inclinan. Nueva y feliz coloración de carne; no por eso más cuidado que el resto del cuadro descuidado a voluntad, porque así se pierden las formas confusas en la negra noche. Grandes dorsos, fuertes brazos.[89]

No obstante los desnudos fragmentados de una multitud sufrida y con ansias de sobrevivir, ¿cómo logra el crítico ir de la expresión de los rostros al lenguaje corporal y viceversa en cuanto ve y prevé? Y, ¿cómo, desde esta secuencia de imágenes violentas y de degradación humana, nos incita a mirar de otra manera a la víctima maltratada pero atractiva por la obra plástica? He ahí lo que no llega a ser deslucido por la elegancia de un pintor audaz pero cauteloso al mismo tiempo. He ahí uno de los mejores reparos martianos sobre el desnudo en la pintura.

Al referirse, en sus textos, a algunas de las obras más connotadas de Francisco de Goya, como *El entierro de la sardina*, *La casa de locos* —«ese extraño lienzo de desnudos», allí donde hay «cultos de cuerpos»—, y *La maja vestida*, Martí le otorga categorías de símbolos a determinados desnudos. Símbolos que, en el caso específico de *La casa de locos*, funcionan mejor como alegorías de las miserias «sacadas a la plaza».

Es *La casa de locos* el intento de Goya por criticar cierta humanidad sin distinción de ninguna clase. Su mayor propósito es congregarla mediante un pincel que desnuda literal y simbólicamente porque no se limita a copiar de la realidad.

Estos cuerpos desnudos ¿no son tal vez las miserias sacadas a la plaza? ¿Las preocupaciones, las vanidades, los vicios humanos? ¿Qué otra forma hubiera podido serle permitida? Reúnelos a todos en un tremendo y definitivo juicio. Religión, monarquía, ejército, cultos del cuerpo, todo parece aquí expuesto, sin ropas, de lo que son buen símbolo esos cuerpos sin ellas, a la meditación y a la vergüenza. Ese lienzo es una página histórica y una gran página poética. Aquí más que la forma sorprende el atrevimiento de haberla desdeñado. El genio embellece las incorreciones en que incurre, sobre todo cuando voluntariamente, y para mayor grandeza del propósito, incurre en ellas. ¡El genio embellece los monstruos que crea![90]

---

[89] José Martí: *Obras completas*, Editorial Ciencias Sociales. t. 15, p. 135.

[90] Ibídem, t. 15, p. 132.

La maja vestida (1802-1805) de Francisco de Goya.

Resulta muy significativo que sea *La casa de locos* una de los pocas obras en la que el desnudo pudiera ser considerado orgiástico[91] por Martí. Pero la iconología, que bien le aplica a las imágenes y al asunto, se distancia de tal incidente. Pues la orgía, antes de la entrega del cuerpo, concientiza la disposición, el goce. Aunque el título no descarta la posibilidad amatoria, la representación plástica de los referentes extraestéticos lo impulsa a ir más allá de los valores artísticos de la pintura de Goya, en la que, por cierto, ¿un personaje mira a otro? «Goya ha hecho con unas manchas rojas y parduzcas y un *Juicio de la Inquisición* que dan fríos mortales: allí están, como sangriento y eterno retrato del hombre, el esqueleto de la vanidad y la maldad profundas».[92] Ello le permite a Martí singu-

---

[91] A diferencia de la sugerente *Ninfas y sátiros* de William-Adolphe Bouguereau, que Martí no reconoce proclive a lo orgiástico, aunque sí *El sueño de Fausto* de Luis Ricardo Falero. Esta última obra solo está descrita sin que Martí mencione el nombre de su autor, como bien se explica en el Proyecto Pinacoteca Martiana, parte III (*Cuando una palabra vale más que mil imágenes. Primer catálogo de obras de las artes plásticas con textos críticos de José Martí*, de Alejandro Herrera Moreno, Santo Domingo, República Dominicana, 2016).

[92] José Martí: ob. cit., t. 19, p. 305.

larizar desnudos cuando ya lo viene haciendo, ya sea por comodidad o por canon epocal, en representaciones de figuras casi siempre solitarias, así estén en grupo. «Una de las consecuencias del nexo teológico que en nuestra cultura une estrechamente naturaleza y gracia, desnudez y vestido es, en efecto, que la desnudez no es un estado, sino un acontecimiento».[93]

En cuanto a *La maja vestida*, realizada después de la desnuda, resalta la delicadeza del pintor al lograr «una voluptuosidad sin erotismo». Sin embargo, la sensualidad provocada por el retrato, más cuanto Martí lo sugiere, lo desmiente. La connotación erótica de esta imagen pictórica es innegable: «¡Qué seno el de la Maja, más desnudo *porque está vestido a medias*, con la chaquetilla de neutros alamares, abierta y a los lados recogida, con esa limpia tela que recoge las más airosas copas del amor!»[94] No es casual que:

> Para muchos la *Maja Vestida* está más desnuda que su hermana, tal es la sensualidad y voluptuosidad que transmite a través de las sedas que la cubren, que parecen vibrar de emoción contenida. No dudamos en calificarla de obra cumbre del erotismo en pintura. Eso sí, un erotismo de la mejor y más profunda motivación, retratando sólo a una mujer, mujer, sin la más mínima concesión a la vulgaridad o a la procacidad.[95]

A menudo, el erotismo es descriptivo en detalles hasta conformar o sugerir una totalidad.

> Nunca negros ojos de mujer, ni encendida mejilla, ni morisca ceja, ni breve, afilada y roja boca, —ni lánguida pereza, ni cuánto de bello y deleitoso el pecaminoso pensamiento del amor andaluz, sin nada que pretenda revelarlo exteriormente, ni lo afee, —halló expresión más rica que en *La maja*. No piensa en un hombre; sueña. ¿Quiso acaso Goya, vencedor de toda dificultad, —vestir a Venus, darle matiz andaluz, realce humano, existencia femenil, palpable, cierta? Helo aquí.[96]

Si coincidimos con Agamben en que para el cristianismo no existe una teología de la desnudez, sino solo una teología del vestido, se pudiera andar acaso con mucha comodidad para entender el porqué de ciertas preferencias de Martí por la idealización del cuerpo en el arte,

[93] Giorgio Agamben: ob. cit., p. 94.

[94] José Martí: *Obras completas*, Editorial Nacional de Cuba, La Habana, 1964, t.15, p. 134.

[95] Francisco Crespo Giménez: *Eros en la pintura española del siglo XIX*. Disponible en: www.cervantesvirtual.com/obra/eros-en-la-pintura-espanola-del-siglo-xix.

[96] José Martí: *Obras completas*, Editorial de Ciencias Sociales, La Habana, 1975, t.15, p. 131.

inclusive por el diálogo de los cuerpos desnudos. Uno pudiera repasar las apreciaciones del crítico sobre el Cristo de Munkacsy. Pero cuanto nos ocupa ahora es la posible relación entre desnudo y religión que vinculó la mirada martiana. Entonces valdría recordar cuánto dijo a propósito de *El entierro de Cristo* de Eugéne Delacroix.[97] Aquí la expresión de dolor de los rostros desluce el desnudo de la figura de Cristo como en *El santo entierro*, de Tiziano Vecellio, no así con el claro contrapunteo entre el rostro y el desnudo medio de la *Judith* de Horace Vernet.

De los comentarios de interés sobre tres premios del Salón francés de 1880, solo dos incorporan desnudos: el Caín de Fernand Cormon y El buen samaritano, de Aimé Nicolas Morot. Sin embargo, es la tentación de San Antonio y la figura de Cristo los temas religiosos caros a Martí, por encima de los diferentes autores que los tuvieron en cuenta: Alexandre Louis Leloir y Charles Francois Édouard de Beaumont en el caso del primero; Rembrandt y Delacroix en relación con Cristo.

A propósito de San Antonio, por ejemplo, le interesa el particular tratamiento de cada pintor. Gusta mucho de la versión de Beaumont, pues le resalta lo erótico por el seno cubierto, por la «tenue voluptuosa coloración» y se extiende más: «¡Qué palmas de la mano, regalada copa de calientes besos! ¡Cómo la hendida curva que interrumpe y realza la figura en el lado derecho, hace perdonar aquella implacable línea recta que afea, del saliente globo a la rodilla, el lado izquierdo!».[98]

¿Se enamora Martí de estas mujeres idealizadas en la obra de arte? Las admira pero no se embriaga ni siquiera con las majas de Goya, esas bellezas dignas de apreciación.

El puro terreno de la pasión posesiva procura un saber escaso. El saber viene determinado por la posibilidad de comprender el mundo a través de otro cuerpo, o de acceder al diálogo con el mundo a través de él. La realización, si no plena, sí muy avanzada de lo erótico sería la posibilidad de sentir ese *cuerpo del mundo* en el contacto con el otro cuerpo. En eso consistiría lo erótico en un sentido que, aunque tal vez no sea más explícito, sí resulta en cambio más complejo, múltiple y matizado que el enamoramiento.[99]

Conocedor del arte pictórico, José Martí enaltece lo épico ante otros géneros. Muestra interés

---

[97] José Martí: ob. cit., t. 19, p. 292.

[98] Ibídem, p. 293.

[99] Rafael Argullol: *Aventura. Una filosofía nómada*. Plaza & Janés Editores S.A. Barcelona, 2000, p. 130.

La tentación de San Antonio (1871) de Alexandre Louis Leloir.

por detalles temáticos y propone posibles significaciones sin crear distancias entre formas de arte como el desnudo. De hecho, su discurso crítico confirma una minuciosa y llamativa expectación por los cuerpos cubiertos o despojados de sus mantos. Desnudos medios, completos, retenidos e imaginados; desnudos acechados por la muerte; desnudos como complementos de la vida. En fin, desnudos prestos, sobre todo, a resaltar las circunstancias del cuerpo libre e inspirador.

En general, lo oculto le place más que lo manifiesto, lo sensual más que lo sexual, lo erótico más que lo obsceno, el desnudo íntimo más que grupal, lo femenino más que lo masculino. No por gusto, prefiere *La maja vestida* a

Automedonte con los caballos (1868) de Aquiles de Henri Regnault.

la desnuda, sin dejar de concederle especial atención al varón de *Remadores del Sena* de Pierre-Auguste Renoir, a quien describe cuando concluye su crónica *Nueva exhibición de los pintores impresionistas*. En ambas obras vuelve a considerar la particularidad de los rostros, porciones desnudas del conjunto y cuanto uno puede suponer se esconde detrás de las ropas.

Para el crítico, la belleza de una imagen, sea de mujer u hombre, no debe impedir el examen cuidadoso de la obra pictórica. Del cuerpo masculino celebra sobre todo músculos, brazos, torsos y le puede reconocer esbeltez más el añadido de la belleza física por la disposición creativa de un artista. En principio, el desnudo ideal del hombre será para Martí el que represente el empuje viril precedido de acciones elogiosas vinculadas a lo heroico. Aunque los cuerpos que particulariza asisten al crepúsculo existencial, sea por la proximidad de la vejez o la muerte, cuando no intenta el crítico contenerse por cuenta de otras figuras que, en apariencia, sobrepasan el vigor de un poderoso desnudo como el de *Automedonte con los caballos de Aquiles* de Henri Regnault.[100] Ahora, ¿por la desnudez de la mujer? Martí entregaría su reino. Le resalta sus manos y piernas, el rostro, el cuerpo hermoso con la intención de personificar la gracia y la sensualidad; la provocación y el deleite.

Formado como observador de artes plásticas en España, iniciado como crítico en México hasta alcanzar su plena osadía reflexiva en Estados Unidos cuando escribe sobre todo para *The Hour* desde 1880, confesó: «He hundido tímidamente el dedo en un lienzo del mexicano Rebull, para convencerme de si aquel acerado azul, era lienzo o nube. He hablado a solas con la Maja de Goya. He tenido largas pláticas con la Venus del Tiziano. Me he traído una a casa, y vivimos castamente en deleitosa compañía».[101]

---

[100] José Martí: "Henry Regnault y Automedonte", *Obras completas*, Editorial de Ciencias Sociales, La Habana, 1975, t. 14, p. 412.

[101] José Martí: *OCEC*, t. 7, p. 18.

DANIEL CÉSPEDES GÓNGORA (Isla de la Juventud, 1982). Crítico de artes y ensayista. Colaborador habitual en numerosas publicaciones nacionales y algunas foráneas. Es el compilador y prologuista de *El crítico como artista y otros ensayos,* de Oscar Wilde (Editorial Arte y Literatura, 2017).

DE LA BARRA ARROPADA AL ESCENARIO DESNUDO

La mayoría de los bailarines o danzantes tienen, casi todos los días, entre sus rutinas de prácticas la barra de ballet o improvisación coreográfica. Muchos de estos ejercicios se realizan con abundancia de vestimentas. Grandes pantalones, anchos pulóveres, medias gruesas los arropan mientras trabajan junto a los coreógrafos en la creación. Tanto esfuerzo físico es abrigado por telas cómodas y vaporosas, para después salir al escenario, muchas de las veces con vestuarios totalmente distintos. La danza postmoderna ha trasladado estos vestuarios de ensayo a la escena, y en ocasiones ha optado por el desnudo.

La creación coreográfica trabaja con el cuerpo como principal instrumento. El cuerpo es principio, medio y fin de la danza. El camino que recorren aquellas creaciones que comienzan y terminan con un desnudo en escena, es también la ruta de la historia de la danza como ritual humano primero, y como manifestación artística después.

Cuerpos imposibles de alcanzar, esculpidos en el ballet, en la danza. Pero he aquí la paradoja: muchas veces, son cuerpos mutilados o estilizados. El desnudo en la escena danzaria rompe esa "edad de las ilusiones" de volar por los aires con saltos y piruetas. El ser humano que danza se hace presente en el aquí y en el ahora. Aunque no por ello abandone la magia de las representaciones; aunque no por ello deje de hacer arte. El aporte del desnudo a la danza no viene en forma de sacrificio, cual circo romano para el bailarín que lo muestra todo, tal como es, sino que se descubre en forma de poesía corporal, cinética.

CUERPOS NATURALES, CUERPOS DESNUDOS

Una de las formas de asumir el desnudo en la danza es desde la aparente naturalidad que su devenir histórico le ha propuesto. El cuerpo objeto y sujeto de la coreografía parece no tener más remedio que aparecer en escena tal cual. En ocasiones sin afeites, es decir: el desnudo completo. En otros momentos aparece en dispositivos escenográficos como el vestuario. La relación cuerpo desnudo-accesorio de vestir, ha sido usada en varias ocasiones para reforzar el mensaje coreográfico. Tal es el ejemplo de la pieza *Bella figura* (1974) del coreógrafo Jiří Kylián, donde los bailarines salen al escenario con torsos desnudos. Hombres y mujeres acompañan cada torso con una saya que alude a la vestimenta de los siglos XVI y XVII, momentos de esplendor del ballet clásico. El diálogo que se establece entre la técnica clásica del ballet y la danza moderna constituye una de las principales intenciones de Kylián en este texto coreográfico, mediante el cual se homenajea la figura humana sin las distinciones biologicistas y binarias a las que el ballet, sin duda alguna, apoyó culturalmente con sus historias; y que la danza moderna intenta hacer desaparecer con su nuevo lenguaje.

Bella figura (1974), coreografía de J.Kylián. Foto de Alain Hanel.

En ese sentido, la creadora de la danza-teatro: la alemana Pina Bausch hizo uso en muchas ocasiones del desnudo frontal en sus bailarinas. Cabe destacar su adaptación de la *Consagración de la primavera* (1975), inspirada en la creación original de Vaslav Nijinsky de 1913. En apropiación de Baush, el cuerpo de baile y la bailarina principal usan vestidos de gran transparencia, para que al final esta última termine con la prenda ajada, algo propio del rapto que narra la obra.

Asimismo, encontramos otras creaciones de la Bausch, como la única película dirigida por ella: *El lamento de la emperatriz* (1990), donde el desnudo, en este caso femenino, se suma a un serie de elementos perturbadores como puede ser la propia música o el diálogo, para fomentar una atmósfera enrarecida. La relación entre el cuerpo semidesnudo (solo deja una prenda interior), el jat egipcio y el vestido que se pone y se quita constantemente la bailarina, buscan una relación semiótica entre estos mensajes y el diálogo que sostiene la danzante con otro bailarín en escena. Así el desnudo no ocupa el centro del mensaje en estas creaciones, sino que se erige como uno de los tantos vestuarios.

En este camino hacia lo "natural" de los cuerpos danzantes desnudos, resulta un buen ejemplo el texto coreográfico *Pororoca* (2010) de la coreógrafa brasileña Lia Rodrigues. En una desenfrenada arritmia, los bailarines de la ejecutante Compañía de Danzas, buscan una "involución" que les permita volver a lo básico, a lo que no ha sido construido culturalmente, a lo que se entendería como animal. Y en esta búsqueda el cuerpo vestido y desnudo se mezclan, al mismo tiempo que se fusionan los bailarines, quienes en un momento determinado se transforman en animales. Los semidesnudos forman parte de un todo frenético, donde también está la subversión de los órdenes, que inicia con los cuerpos fragmentadamente desnudos y termina con la salida de los danzantes del escenario atravesando el cómodo observatorio del lunetario. La voz "pororoca" es una onomatopeya de la lengua tupí-guaraní que significa "gran estruendo"; se utiliza para designar grandes riadas y marejadas en el río Orinoco. Así, en esta lógica naturalista y arrolladora, se desplazan los bailarines del escenario a la salida del teatro, en el cual los fragmentos de cuerpos desnudos se los lleva la corriente.

Además de ser usado como una opción de vestuario, el desnudo también representa mensajes dentro de los textos coreográficos. Con la danza posmoderna conviven piezas como *Waterman Switch*, concebida por el estadounidense Robert Morris en los setenta, donde el desnudo es parte crucial en la construcción del mundo binario sobre el que discursa el coreógrafo. Con la desnudez y una piedra sobre la cual el bailarín hace equilibro, Morris pone en tela de juicio las preconcepciones del mundo. El desnudo de los bailarines le permite reforzar esta noción de capas, ideas y prejuicios, que rondan al mundo posmoderno.

Es en esa posmodernidad, donde el texto coreográfico de Daniel Léveillé, *Amour, acide et* *noix* (2001), con las cuatro estaciones de Vivaldi y cuatro bailarines totalmente desnudos, llega a su clímax. «Con un bañador, el cuerpo de un bailarín es "sexy", pero sin nada aparece totalmente diferente».[102] Declaró el coreógrafo en una rueda de prensa al presentar la obra.

[102] *Daniel Léveillé y Dave St-Pierre desnudan la danza en el Mercat de les Flors de Barcelona*. Publicado en: www. Europapress.es.

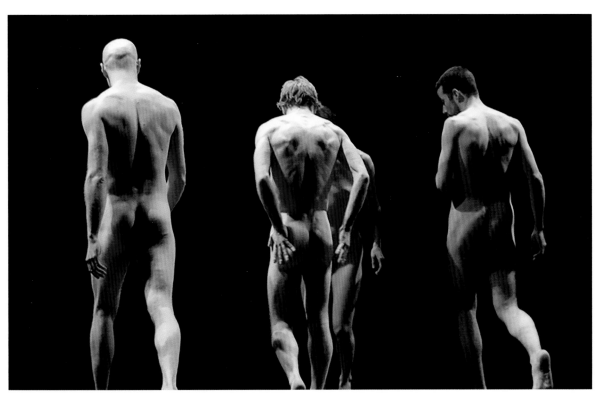

Amour, acide et noix (2001) de Daniel Léveillé.

El desnudo total en esta obra exhibe el espíritu de libertad que ha intentado proponer la danza contemporánea desde la propia Isadora Duncan, pasando por Mary Wigman, Martha Graham, Trisha Brown, entre otros, quienes han hablado de la danza como una conexión espiritual con el origen del ser humano y la tierra. La expresividad interior del bailarín queda sublimada en la pieza del canadiense a través de los cuerpos desnudos que no buscan bailar al compás estridente y cadencioso de Vivaldi, sino encontrar un ritmo propio que se comunique con las notas musicales de manera menos obvia.

Es así como el desnudo cumple su primera función en el discursar coreográfico: apelar a la libertad de los cuerpos. Cuerpos que han sido entrenados y domesticados a través de rutinas de ejercicios, de pasos ensayados y que, desde los tules de la Duncan, buscan expresarse más libremente. Con mostrar el cuerpo desnudo del bailarín en escena no busca solo incordiar y hacer entrar en crisis la moral occidental judeocristiana, sino expresar la libertad que ha sentido dicho bailarín junto al coreógrafo en la búsqueda de sentidos vitales a través del cuerpo danzante.

CUERPOS DESNUDOS, CUERPOS POLÍTICOS

Establecido el desnudo en el texto coreográfico como símbolo de libertad, es importante notar que otros coreógrafos han sentido la necesidad de utilizarlo como vía para discursar sobre liberaciones individuales, sociales, sexuales o causas políticas. Todas expresadas a través del desnudo coreográfico, tomando como premisa la fuerte imagen que este trasmite en escena.

Sobre las variaciones de clásicos del ballet, destaca la otra versión del belga Angelin Preljocaj, de *La consagración de la primavera* (2001). «Es muy distinta de la coreografía original de Nijinski. Sus fuentes de inspiración son muy amplias y aunque también parte del ritual en el que se elegirá a una mujer, su destino no será el sacrificio, sino el homenaje. Está inspirada en la mujer actual y en su papel en la sociedad»,[103] expresó Youri Van den Bosch, ayudante de dirección de la compañía de Preljocaj, durante una reposición de la pieza.

Como se menciona antes, ya en 1975 Pina Bausch, había hecho su versión del ballet y utilizaba el torso femenino desnudo hacia el clímax de la obra. Él no salía a escena desnudo, sino que su vestido se rasgaba por la propia historia de rapto y sacrificio. Mientras que la versión de Preljocaj opta por el desnudo com-

---

[103] Declaraciones de Youri Van den Bosch, publicada en el diario *El País* (2/05/13.)

pleto. Para ambas representaciones no es determinante si se enseñan más o menos partes del cuerpo, sino la utilización dramatúrgica que se hace del mismo.

En *La consagración...* del XXI los bailarines despojan de sus ropas a la bailarina, como adelantando el trágico final de la doncella consagrada; sin embargo, el solo desnudo se convierte en algo mucho más trascendental. Del suelo emerge una figura simbólica: la mujer empoderada. El desnudo le permite a coreógrafo y bailarina mostrar una violencia cinética, para, como bien confesó el autor, hablar de las diferentes liberaciones de la mujer. Al hacerlo desde el desnudo, también accede a reflexionar sobre la objetualización que ha sufrido el cuerpo femenino en otras manifestaciones artísticas. No es casual que este momento coreográfico comience a nivel horizontal, es decir desde el suelo escenográfico, y termine en una verticalidad extrema. Si bien la danza posmoderna defendió la horizontalidad como una forma de revelarse contra la estructura de las artes clásicas que buscaban una belleza perfeccionista, el uso de la ascensión del cuerpo desnudo en este texto coreográfico es reivindicativo de la resistencia de las mujeres en la Historia. La sublimación que alcanza este cuerpo desnudo es coronada con la pausa final, metáfora de la racionalidad que conlleva el empoderamiento, el cual se relaciona con la presencia, con el estar de los cuerpos danzarios en el escenario. Ya no vemos a una doncella raptada y consagrada a la primavera, sino que observamos una mujer en profunda comunión con la misma. Algo en las relaciones humanas ha cambiado, el paradigma de lo natural se redefine con esta pieza.

El desnudo es motivo de liberación, de empoderamiento. Entonces, por relación de opuestos, la ropa deviene cárcel y constructo cultural que nos define en uno u otro sexo, en una u otra esfera. También como todo pacto social que puede ser desmontado para entender qué hacer con ella. Es esto lo que mueve el texto coreográfico *S* (2000) de Sasha Waltz: después de un primer cuadro donde todos los bailarines desnudos, se mantienen en contacto con el suelo escénico, cual movimientos moleculares, llega el momento en que abandonan esta horizontalidad desnuda para llegar a la verticalidad vestida, la cual representa verdades a medias, fragmentos de una realidad enlazada por el movimiento de cuerpos, ya no semidesnudos, sino semivestidos.

S vuelve sobre la idea del baile como catalizador de la liberación humana. El impulso del movimiento ofrece un dominio libertario proporcionado por agitar, por revolver el cuerpo, sin importar cuantas ataduras tengamos encima. Aunque en ningún momento la pieza abandona la idea de las clasificaciones culturales que pueden imponernos la ropa, tampoco deja de recordarnos que aun debajo de ella el cuerpo es y puede ser libre.

En *S*, aunque temáticamente el desnudo ocupa una posición importante, tampoco rechaza su relación con otros dispositivos escénicos como imágenes de urbanización opuestas a la naturaleza, que concurren en una apología de lo cinético como hilo conductor del universo todo.

De este modo, el desnudo, visto bien como vestuario en escena, como idea o metáfora de la libertad que propone la danza postmoderna, es también una fuerza política practicada a conciencia dentro de la danza contemporánea, en tanto se mezcla con otros elementos coreográficos para hablar sobre la disidencia que plantea el arte en sí mismo.

María La Ribot realizó entre 1993 y 2003 una serie de creaciones performáticas que denominó *Piezas distinguidas*. La Ribot se paseaba desnuda por todo el espacio escénico. Primero lo hizo en pequeñas salas de teatro, después lo llevó hasta importantes galerías. Ya el traslado de escenario constituía en sí mismo una declaración disidente del arte. Pero el desnudo, además de reforzar la sinceridad militante que

caracteriza a la coreógrafa, fue cuando le permitió interactuar más descarnadamente con disímiles objetos durante sus presentaciones.

El cuerpo desnudo sobrexpone, por partida doble, la relación de los seres humanos con los objetos que él mismo ha ido creando, muchas veces para satisfacer al propio cuerpo; otras para mancillarlo sin siquiera darse cuenta.

En el caso del cuerpo femenino este ha sido idealizado, objetualizado a través de toda la historia del arte occidental, dejando muy poco espacio para sentirlo verdaderamente. Lo que sí se planeta en las piezas distinguidas de La Ribot es la desmodelización de los cuerpos, y no existe forma más eficaz para hacerlo que desnudándolos y volviéndolos a vestir con las fragmentaciones que sufren a diario, para notarlas con mayor vehemencia.

Durante diez años la artista estuvo presentando su cuerpo desnudo junto a acciones cotidianas, asignadas a los roles de la mujer, al concepto femenino. Y con la realidad de su presencia corporal desmintió uno por uno aquellos mitos de género en los que se ha construido el patriarcado, y con él todo el sistema de símbolos culturales. El primero fue la condición movimental de la danza. La española, como ya lo venía haciendo hace muchos años la danza posmoderna, pasó del desplazamiento hacia un lado u otro, al ritmo de una música, a desplazarse de

La Ribot en uno de sus permorfance. Foto de Hugo Glendinning.

un lado a otro en una galería al ritmo de las respiraciones de las personas con solo su cuerpo como bandera.

El desnudo femenino en la danza ha intentado desmitificar la carga objetual que poseen los senos. Es por esto que la cinta negra que lleva en los mismos la bailarina, en la coreografía de Jan Fabré: *Cuando el hombre principal es una mujer* (2004) es exactamente una remarcación intencionada de una de las principales líneas biológicas que más se han manifestado en la danza. Mientras el torso desnudo de los bailarines hombres ha sido adorado y objetualizado, el torso femenino se ve más como un impedimento que como una parte del cuerpo presente en el acto danzario. El texto coreográfico de Fabré comienza con este cuestionamiento, pero a través del desnudo completo indaga sobre la posición de la figura femenina en la historia.

La interacción del cuerpo desnudo con objetos es, como bien lo planeta La Ribot en sus piezas, una forma descarnada de mostrar los daños físicos, pero la mezcla de los desnudos con sustancias como el agua, la leche, o en el caso de esta pieza, con el aceite de oliva, acerca el placer al cuerpo. Pues no solo la presencialidad de los cuerpos es importante, sino el placer que se les puede dar y obtener de ellos.

Sin embargo, para lograr placer, es necesario deshacerse de los cuerpos disciplinados. O al menos mirarlos de otra forma, brindarles otras oportunidades. Por cada bailarín que sale desnudamente maniatado en la pieza *Body remix* (2005) de Marie Chouinard, existe una historia de mutilación que es denunciada.

En ese sentido, también le interesa una visión transhumanista del cuerpo. La danza como ninguna otra arte ha llevado históricamente a desafiar las condiciones físicas del cuerpo, pero en ese reto ha quedado lisiada la posibilidad de la diversidad. El cuerpo disciplinado que no tiene inquietudes para mostrar puede ser parcheado, atravesado con correas, para así perder su singularidad. Las correas, las muletas, los arneses, suplantan de inmediato la admiración por la subordinación de los cuerpos. Todo un rigor en aras de lograr la perfección.

El desnudo, vestuario o símbolo de libertad es una opción para seguir (de)construyendo el universo coreográfico, ese que busca ampliar los horizontes humanos a través de la primera presencia vital: el cuerpo.

MAYTÉ MADRUGA HERNÁNDEZ (Matanzas, 1987) Graduada de periodismo. Ha colaborado con diferentes medios de prensa. Ha impartido el taller "Danza, de eso sí se escribe". Actualmente trabaja en el Festival de Cine de La Habana.

EL CUERPO EXPANDIDO

Apuntes sobre la representación del desnudo erótico en el *manga* y el *anime*

En terrenos de dominio creativo humano absoluto como la gráfica y la animación, es donde el cuerpo desnudo ha sido susceptible de las mayores transmutaciones morfológicas, como manifestación lingüística palpable de restructuraciones semiológicas complejas y completas. A tenor de la libre ruptura con las leyes físicas preexistentes, estos cuerpos reconstruidos y reformulados se revelan como destilaciones de esencialidades filosóficas, metafísicas y poéticas.

Como sucede (y no deja de suceder) en casi todos los sistema culturales, la representación del cuerpo desnudo en el amplísimo campo estético-discursivo del *manga* y el *anime* japoneses no deja de estar fundamentalmente relacionada con el erotismo. Con singular y apreciable énfasis en el cuerpo como laboratorio, canal y plataforma para la más libre experimentación,

o más bien: para la comunión plena y épica con el universo sensorial, en el más alto y sublimado estado de puridad "irracional".

Tal expresión libre y cabal solo ha sido posible por la referida absoluta libertad representacional que la gráfica y la animación permiten a sus gestores. Siempre allende las evidentes limitaciones que el registro fotográfico de actores y contextos físicos ofrece, no solo en el terreno puramente creativo, sino incluso legal. De ahí el creciente espectro de orientaciones, parafilias, perversiones (muchas en camino de la desestigmatización patológica, otras irremisiblemente prohibidas) y puras fantasías, que siempre encuentran cabida en las producciones niponas de marras, específicamente en el amplio campo genérico del conocido como *hentai* (literalmente "pervertido").

Siendo el manga y el anime herederos directos de manifestaciones visuales *pop* del Período Edo (1603-1867) como el ahora muy conocido y reconocido *ukiyo-e* o "estampas del mundo flotante", la zona del desnudo erótico se localiza más específicamente en la variante *shunga* o "imágenes de primavera" (al ser entonces la primavera una metáfora popular japonesa del sexo), precursor inmediato del *hentai* establecido a finales del siglo XX.

En el amplio catálogo de estos centenarios *shungas* se aprecian ya, a plenitud, las mismas intenciones hiperbólicas y alegremente desafiantes de todas las normalidades naturales posibles, que emanan de las corporalidades de la actual gráfica y animación niponas. Por un lado, se registran posturas imposibles que buscaban la exposición y la sublimación genital, obviando las leyes anatómicas demandadas por un realismo que nunca existió en el arte japonés. Por otro, se emparejan humanos con animales, mitificaciones de estos —como en el celebérrimo *El sueño de la esposa del pescador* (*Tako to ama*), realizado en 1814 por Katsushika Hokusai—, y monstruosidades puramente mágicas —*Los monstruos acuáticos y la mujer buzo* (*Kappa to ama*) concebido por Kitagawa Utamaro en 1788.

El sueño de la esposa del pescador (1814) de Katsushika Hokusai.

Todas estas obras sugieren una fuerte sensación cinética y un arrebato de formas y colores, en pos quizás de representar con fiabilidad expresionista (y todo lo irónico que esto pueda sonar) la extática tensión experimentada por el cuerpo en plena y pura canalización de las sensaciones. En un sentido más amplio, las tensiones y sentires extremos caracterizan los sistemas representacionales y dramatúrgicos del manga y el anime, definidos casi de manera general por la intensidad emocional. Los desnudos que aparecen en estos, ya sea inmersos en procesos de experimentación sensorial de naturaleza sexual; ya en otras rutinas menos lúbricas, resultan las más de las veces corporeizaciones de estados y sentires telúricos. Sin límites para sus poderes destructivos, las cadenas de acciones de cada una de estas propuestas, pudieran apreciarse como una sucesión de explosiones.

En los más específicos predios del *ecchi*, el *soft hentai* (categorías menos arriesgadas en la representación del sexo explícito) y el *hentai* (término que aunque define todo el campo, también se emplea para tipificar los casos más *hardcore*, los cuerpos devienen estilizaciones hiperbólicas que comulgan en una suerte de eroto-epicidad del cuerpo, desafiante y transgresora de cualquier constructo extremo que sea capaz de generar la pornografía y el cine erótico de acción real. La tirante sobreabundancia de las excesivas mamas, los descomunales penes, las pulposas y relucientes vaginas, los glúteos ampulosos, las garrafales eyaculaciones, secreciones y excreciones de ambos sexos, las estridencias faciales y sonoras del placer o el dolor (o de ambos de una vez): todo coadyuva a la articulación de alegorías sensoriales extrovertidas y exorbitantes.

Esta exageración física y expresiva que caracteriza de manera general a todo producto *hentai,* y su connotación de mitopoética esencialidad sensorial viene a anclarse con sistemas de representaciones tan antiguos como las mismas venus paleolíticas de Willendorf, Lespugue, Dolní Věstonice, Laussel, a la vez que personajes de preeminencia fálica como el Príapo griego, el Kurupira guaraní, y algunos importantes cemíes taínos del Caribe. Así, en interesante balance representacional conviven en el *hentai* las exuberancias sexuales de hombres y mujeres, aunque las historias vayan indistintamente de hombres que someten a mujeres hasta las humillaciones más profundas y elaboradas, y de mujeres que hacen lo mismo con hombres. También hombres con hombres, y mujeres con mujeres o como grupos mixtos. Valgan todas las combinaciones y orientaciones posibles. Sin segregar ni un momento las cópulas zoófilas, demonológicas y "monstruofílicas", planteadas siglos antes por Utamaro, Hokusai y otro tanto en sus *shungas* mitopoéticos y grotescos.

EL CUERPO UNIVERSAL

Es bastante argüido que las conocidas y muy mencionadas regulaciones japonesas sobre la producción y distribución de obras gráficas y audiovisuales de contenido pornográfico y/o explícitamente anatómico —de ahí que en muchas propuestas, la mujeres aparezcan con pubis sellados, mamas sin pezones, y los hombres carezcan de pene o este se vea velado con sombras y obstáculos— hayan provocado en los *mangakas* y animadores la búsqueda de alternativas visuales para vadear los parámetros transitando a través de zonas grises, como pueden ser las monstruosidades fantasiosas, cuyos tentáculos y otras protuberancias no humanoides hurgan en cada orificio y punto placentero de los cuerpos.

Ahí está el clásico *Urotsukidõji: la leyenda del señor del mal* (*Chõjin densetsu Urotsukidõji*) dirigido por Hideki Takayama en 1989 —inaugural del subgénero *hentai* de "violación por tentáculos", bien cimentado en *El sueño de la esposa…*, y altamente popular—, cuyo director justificó este recurso como sustitutivo de la explicitud fálica, censurada legalmente en la nación. Pues la penetración con otros tipos de miembros orgánicos no estaba estigmatizada por el reglamento. Va esta película de las interacciones y colisiones lúbricas entre tres mundos estratificados: los humanos, los Jyujinkai (hombres-bestia) y los Makai (demonios). Se trata de la comunicación e integración a través del lenguaje universal de los sentidos.

Más allá del mero subterfugio estratégico, tenemos que tanto los pulpos de Hokusai y los *kappa* (como "niño de río" se calificaban estas deidades sobrenaturales, posibles parientes culturales de los sátiros griegos, los lepricornios irlandeses y los güijes cubanos) graficados por Utamaru, como la deidad *Chõjin* de la cinta de Takayama, son encarnaciones mitopoéticas de las fuerzas de la naturaleza y la "sobre-naturaleza"; del cosmos en su sentido físico y metafísico. Por lo que pudiera adivinarse en estas cópulas, imágenes de la comunión trascendental del ser humano con el universo, empleando su cuerpo como canal, plataforma y moneda de cambio.

Libres de ropajes tanto como de condicionamientos culturales, el desnudo físico simboliza un estado prístino de puridad, un estado complejamente elemental del ser plegado a las percepciones puras, que afluyen libremente una vez desarmada la racionalidad a fuerza de sensaciones briosas. Luego, la posible ilu-

La leyenda del señor del mal (1989) de Hideki Takayama.

minación a partir del despojo definitivo de la racionalidad y la razón como constructos culturales (la vestimenta y el determinismo de las especies), a partir de la sublimación sensorial definitiva que es la integración con la naturaleza pura, encarnada (metafóricamente o no) en estos seres. Sensación vs forma. Perennidad vs finitud. Trascendencia vs momentaneidad. Aislamiento vs comunión. Uno vs Todo.

Se revelan así en crisis conceptos como la propia palabra empleada para definir el campo genérico del *hentai*: perversión, así como los términos de obscenidad, depravación, corrupción. Impuestos todos desde una "norma". Desde una "normalidad" arbitraria y susceptible de ser cuestionada e impugnada, como resulta toda regla humana.

Es un término relativamente nuevo el de *hentai* respecto al pasado cultural sexualmente desprejuiciado que tuvo al *shunga* como uno de sus íconos. Permisivo, inclusivo hasta los límites desafiantes de la pedofilia (*Pasatiempos*

de primavera, creado por Miyagawa Isshõ en 1750), que va más allá de normas culturales impuestas, en tanto contraviene el libre albedrío de un ser humano, y pasa a ser objeto de discusión de la ética y la moral. En tan pantanoso terreno se ubican los subgéneros contemporáneos como el Lolicon (referencia directa a la novela *Lolita* de Vladimir Nabokov) y el extremo Toddlercon (donde aparece el sexo con menores de seis años). Aquí se aprecia al *hentai* como espacio de licitud.

Volviendo a las monstruosidades, estas también devienen, a las luces contemporáneas de las teorías *queer* y los estudios de género, encarnaciones del otro incomprendido. Representaciones surrealistas del miedo a la otredad segregada a los predios de lo distinto, lo raro, lo extravagante, lo ambiguo, lo grotesco, a partir de prístinos criterios fundamentalmente formales y epidérmicos. El racismo, la homofobia, la transfobia, la eugenesia, el desprecio o la conmiseración hacia los "discapacitados" físicos o mentales, son los múltiples progenitores de este sistema de representaciones y perceptual.

EL CUERPO TRANS-ANATÓMICO

La representación más expansivamente poética de las corporalidades ya no como dispositivos, sino como verdaderos paisajes sensoriales, bien pudiera catalogarse como "trans anatomía lírica". Cuenta con algunas de sus mejores expresiones visuales en las imaginerías orgiásticas o fantasías lúbricas desplegadas en los pasajes de corte surrealista y psicodélico incluidos en películas como las que integran la conocida Trilogía Animerama de los estudios Mushi Production: *Mil y una noches* (*Senya Ichiya Monogatari*) de 1969 y *Cleopatra* (*Kureopatora*) de 1970, ambas dirigidas por Osamu Tezuka y Eiichi Yamamoto, y la inefable *Belladonna de la tristeza* (*Kanashimi no Beradonna*) de 1973, dirigida solo por Yamamoto.

Belladonna de la tristeza (1973) de Eiichi Yamamoto.

Cada cinta cuenta con una secuencia específica de abierto surrealismo que busca sublimar visualmente los placeres alcanzados con el acto sexual, desde la articulación de verdaderas quimeras corporales donde los cuerpos se reconfiguran y fusionan bajo la más titánica expansión sensorial. La forma se pliega completamente a la experiencia lúbrica. La materia se diluye en un océano de sensaciones estrictamente táctiles, donde termina lográndose una trascendencia no racional.

En las referidas secuencias de *Mil y una noches* y *Cleopatra*, los amasijos carnales que yacen en estos planos de la (trans)existencia carecen de cualquier atisbo figurativo de cabeza, asumido como principal símbolo visual de la razón, del estado de conciencia y autorreconocimiento individual. El cuerpo es subrayado en su autosuficiencia esencial y elemental. Se "descomplejiza" y descompone gráficamente, y se reconstruye como un absoluto funcional.

En la primera película, el cuerpo existe en una multiplicidad orgiástica devenida comunión trascendental. Motivada por la sumersión del protagonista en la multitud de mujeres que demandan su virilidad de semental, como único hombre de visita en esta isla mítica, la escena de marras despliega un "ciempiés humano" uni(di)verso y monstruosamente fabuloso que palpita en un estado de eterno deleite, de auto satisfacción infinita. No solo la conciencia, sino

Cleopatra (1970) de Osamu Tezuka y Eiichi Yamamoto.

las leyes del tiempo ceden todo el espacio al perenne ser en el placer y el sentir.

En la sardónica fabulación de corte ciencia-ficcionero sobre la reina egipcia que es *Cleopatra*, los realizadores minimalizan aún más la representación, que se revela como un curioso antecedente de las elucubraciones psicodélicas desplegadas por el canadiense Ryan Larkin en su clásico *Street Musique* (1972). ¿Larkin conocía de esta cinta? Quizás.

El primer coito entre Cleopatra y Julio César se alegoriza con dos cuerpos apenas bocetados. Apenas coronados por dos microcefálicas protuberancias que conceden toda la relevancia a los proteicos cuerpos en comunidad. Las identidades se borran, las respectivas razones se diluyen. El espacio y el tiempo se repliegan a la dimensión de al lado. Una vez más el placer sensorial se entrona como absoluto eterno.

Ya en *Belladona…*, el cuerpo desnudo de la protagonista Jeanne (mujer inspirada en las reflexiones plasmadas por Jules Michelet en su ensayo *La bruja*), no solo se despliega como dispositivo para el placer sensorial expansivo: resulta antecedido por el también infinito y eterno dolor de la violación, del sexo involuntario como contraparte del sexo conciliado y abrazado. Esto se expresa iconográficamente en la rasgadura *gore* del cuerpo femenino, como sublimación épica del sufrimiento, de la des-

composición psicológica y el desmoronamiento espiritual sobrevenido en este proceso de quebrantamiento de la volición. Todo, sin que la secuencia deje de ser una sublimación y poetización sensorial. Solo que el director Yamamoto ofrece la expansión épica del tormento infringido a Jeanne por un tentador y acosador demonio en forma de falo, coronada su testa por un agresivo glande.

No está desnudo el demonio, es en sí la desnudez. Es la encarnación del elemento más prohibitivo para la representación del cuerpo masculino por las leyes japonesas. Contrasta con la ausencia explícita de pene de los personajes masculinos de *Mil y una noche* y *Cleopatra*. Incluso, en una curiosa secuencia de esta última que ofrece a César desnudo y sumido en aparatosas contorsiones (grotesca parodia de un orgasmo), el personaje gesticula explícitamente una masturbación, pero siempre aferrándose al vacío entre sus caricaturescas piernas.

Tampoco se aprecia una vagina anatómica en Jeanne, aunque el desgarramiento sucede desde la vulva. Quizás aquí la mujer, en correspondencia binaria con el demonio violador, termina convirtiéndose en toda una simbólica vagina, como protesta contra los reduccionismos sexistas extremos que han tendido a minimizar a la mujer a esta parte del cuerpo. Por ahí mismo la doncella queda rota, destruida, desmontada, para luego reconstituirse desde las cenizas del dolor en una mujer más poderosa (¿empoderada?) que dialoga con el mundo a través de su sensualidad consciente, que establece el equilibrio desde la comunión sensorial de todas las partes divergentes desde otras perspectivas. Desde la orgía se disuelven las identidades, saberes, jerarquías, ambiciones, parcialidades.

Este maremágnum lúbrico, este *via placere*, alcanza su única, absoluta y climática estación en otra libre poetización icónica del desnudo múltiple, donde el campo de acciones es el pelo de Jeanne. Entre sus guedejas se entrelazan disímiles cuerpos fundidos, ondeantes, que palpitan al suave ritmo del oleaje sensorial. Un amplio bajorrelieve orgiástico se esparce por la cabellera, indistintamente fusionados, fundidos (nunca confundidos) en otro acto de atemporal engarce sensorial. Es como un perenne proceso de disolución-plegamiento de las identidades, donde aún se singulariza la cabeza-identidad de varios de los personajes.

EPÍLOGO
(CUASI-BREVE COMO UN HAIKU…)

Pudiera proponerse que el cuerpo manga / anime resulta uno de los dispositivos expresivos más maleables y dinámicos disponibles para los creadores de este campo artístico y mitopoético. Sin embargo, no es un cuerpo "humano" en el sentido puritanamente anatómico, sino una inquietante entidad líricamente proteica, uno de cuyos primeros postulados es desafiar y transgredir las lógicas anatómicas realistas. Pues este cuerpo es habitáculo de la alegoría transmórfica, es campo de búsqueda y experimentación expresiva. Es cuerpo-idea, cuerpo-*epos*, cuerpo-*poiesis*. Su desnudez es desencarnación y trascendencia. Cuerpo-mundo. Cuerpo-universo. Cuerpo-multiverso.

ANTONIO ENRIQUE GONZÁLEZ ROJAS (Cienfuegos, 1981)
Periodista y crítico de arte.

COMPLICIDAD ERÓTICA EN LA TRÍADA CUERPO-CIUDAD-FOTOGRAFÍA

El yo es el origen del signo, como el cuerpo y su plasticidad son el origen de lo simbólico
ALEXIS JARDINES

I

Una imagen de la fotografía cubana reciente muestra un edificio ruinoso en el que se aprecia, como superpuesto, un hermoso cuerpo desnudo de mujer en clave fantasmal, un cuerpo que es el contrapunto de las ruinas arquitectónicas, una sombra llena de curvas e insinuaciones que se impone a la dureza de las piedras, como la tensión entre lo vivo y lo decadente o la antítesis de dos tipos de arquitecturas diferentes. Este tipo de imágenes, frecuente en el imaginario actual de nuestra visualidad, soporta varios análisis por su iconicidad significativa y emblemática.

II

La tríada cuerpo-ciudad-fotografía es motivo de indagaciones y recreaciones del arte internacional desde hace décadas. En ocasiones ha sido tema recurrente en cierta bibliografía internacional, pero su atención ha despegado en los tiempos más recientes en que el cuerpo se ha redimensionado como nunca antes como concepto dominante, no solo en las artes visuales, sino en las ciencias sociales en sentido general. Es el cuerpo el que origina su asociación con la ciudad, por cercanía, por necesidad de un espacio físico o hábitat y el tratamiento casi obsesivo que ha recibido por la fotografía posmoderna probablemente sea debido a que finalmente se le reconoce como metáfora del mundo. Como quiera que sea, es un tríptico muy funcional y de total actualidad.

El cuerpo es objeto de plurales preocupaciones en las sociedades actuales. Hoy se examina como una realidad abordada por los estudios culturales y visuales desde lo transdisciplinar. Para las ciencias sociales en general, y para la sociología visual en particular, es un tema de primera atención. Los debates en torno al concepto "cuerpo" comprendidos dentro de la posmodernidad acentuaron discusiones que provienen de los orígenes mismos de la filosofía occidental. Surge en estas notas una primera certidumbre: el cuerpo le ha ganado la supremacía al alma, revirtiendo una situación que databa de los inicios de la tradición judeo-cristiana. Vivimos la resurrección de la carne y la fotografía ha dejado un impresionante testimonio de ello.

Las teorías de la sociología visual más actuales profundizan en la centralidad de los estudios sobre la corporalidad y su representación, así como hablan de su incidencia en las construcciones que las sociedades hacen de las conductas sexuales, pero también indagan en la configuración de las relaciones de poder que se establecen socialmente a partir de las representaciones del cuerpo. La ciudad entra en este campo de análisis dada su pertinencia como espacio vital donde se mueven los cuerpos y por las demarcaciones y signos que establece desde la perspectiva socio-cultural. La ciudad aparece porque no basta la intimidad erótica de los cuerpos, es preciso brindarle un espacio físico de representación.

Un repaso al potencial simbólico que ha gestado la fotografía acerca de la corporalidad de cubanos (y cubanas) aparece en toda su extensión en mi libro *La seducción de la mirada,*[104]

por cuanto no me extenderé en estas páginas en cuestiones de corte historiográfico. Hablaré de La Habana y sus cuerpos, no del cuerpo insular, ya sabemos que la esbelta isla ha sido recreada muchas veces como cuerpo de mujer[105] e, incluso, como cuerpo de hombre y mujer entrelazados, formando un solo cuerpo en armoniosa y concentrada felación y *cunnilingus* recíprocos,[106] y, también, como órgano sexual de ambos géneros, lo que nos sugiere una plena identificación visual de la isla con la corporalidad y desde una enorme presencia de la sexualidad en cuanto a su percepción por algunos artistas.

Imán (2000) de Lidzie Alvisa.

---

[104] Rafael Acosta de Arriba: *La seducción de la mirada. Fotografía del cuerpo en Cuba (1840-2013),* Editorial Polimyta, La Habana, 2014.

[105] Basta con revisar las revistas de inicios del siglo XX, *Carteles*, *Social*, *La Semana* y *Grafos*, para apreciar a la Nación representada como mujer vestida con gorro frigio y los colores de la bandera. Mujer de buen ver en todos los casos, vale subrayar.

[106] Ver el dibujo del artista Rafael Pérez que grafica esa descripción.

Otra forma de percibir los cuerpos en nuestro país es la que corresponde a una cotidianidad habitada por cuerpos ondulantes, deseados y deseantes, sufridos o enfermos, gozosos o en abandono, rollizos o famélicos, inflamados por el sexo, cimbreantes por la música, elogiados por los piropos o derrotados por la vida; cuerpos que significan una de las mayores riquezas visuales del país, visto desde una mirada antropológica, artística, sociológica y callejera a un tiempo.

Me ayudará en esta afirmación recordar un texto breve, pero muy ameno, del escritor cubano Abilio Estévez, cuando una revista le pidió que hablara de lo que más le impresionaba de la ciudad de La Habana. Dijo entonces:

La verdad es que ahí están los cuerpos (los cuerpos humanos quiero decir). Semidesnudos y espléndidos. A cualquier hora y en cualquier lugar [...] Los cuerpos hermosos sobreviven a las catástrofes. Por ejemplo, ahí está La Habana, tanto tiempo descuidada [...] donde no obstante los cuerpos humanos, por extraña paradoja, se han ido haciendo cada vez más hermosos. En ningún otro lugar del mundo los he visto con tanta belleza (y Dios sabe que si algo odio es el chovinismo). Y habría que agregar: belleza sin afeites... No importa que el cine *Princi-* *pal* se halle ahora semiderruido, puesto que constato que ese antiguo cine está rodeado de mujeres y hombres de una belleza que (puedo jurarlo) da ganas de llorar. La felicidad del mestizaje ha encontrado su reino aquí. Ahí están los cuerpos, con encanto que salta por encima de consideraciones de razas. Se muestran en dichoso descaro [...] Se diría que cuando se vive en el sopor de las alucinaciones, el cuerpo reclama su parte [...] Mostrándose, un cuerpo busca a otro cuerpo.

Y yo añadiría: busca también que lo miren, busca *la mirada del otro*. Y de eso se trata en el presente ensayo, porque como termina el texto citado de Abilio Estévez, «cuando todo desparece, aparece el cuerpo».[107] El vaticinio de Estévez ganó en espesor en las últimas décadas cuando la población atravesó —aún lo hace— un agotador Vía Crucis (denominado Período Especial), del que muchos cuerpos (no todos, claro), sorprendentemente, emergieron aún más espléndidos.

Esos cuerpos, observados metafóricamente, fragmentados, recreados y metamorfoseados por el arte del lente, fundidos con su ciu-

---

[107] Abilio Estévez: "La Habana son los cuerpos", en *La Gaceta de Cuba*, No. 2, marzo-abril de 1999.

dad, son los que me interesan ahora, por lo que la subjetividad de las miradas de los artistas que los han moldeados es protagonista: cuerpo, fotografía, ciudad, sexo y arte.

Las ciencias sociales intentan, todavía insuficientemente, interpretar la producción simbólica de los artistas, analizar las complejas relaciones entre las imágenes del cuerpo y la realidad político-social del país, así como el desarrollo de las ideas acerca de lo corporal que le son concomitantes. La centralidad del cuerpo en la práctica artística cubana ha estado problematizada (y enriquecida) por las circunstancias político-sociales y, de manera paralela, por la circulación de los códigos artísticos internacionales.

Me refiero por supuesto al cuerpo *otro*, al que siempre se señala cuando interviene el arte, un referente que nos hace pensar sobre nuestra condición de *homo sapiens* aunque siempre desde la exterioridad y la lateralidad físicas, espacios en el que entra a jugar el *homo eroticus*, el concepto que más interesa en esta reflexión.

III

Aunque al paso, abordaré cómo el arte y la filosofía occidentales han estudiado al cuerpo a lo largo de siglos, es decir, daré un rápido viaje al interior de su imagen antes y despúes del surgimiento de las ciudades.

Desde las primeras manifestaciones en las artes visuales y en las letras, las representaciones del sexo están presentes. Sin embargo, la presencia del erotismo no es tan añeja como el hombre con el falo erecto pintado en las cuevas de Lascaux, en Francia. Aquel hombrecito inflamado sexualmente y plasmado en las paredes de la caverna, denotaba probablemente la excitación por la caza del animal (es decir en pleno proceso de conseguir otro placer, el de la comida), pero asegurarlo sería lanzar una especulación poco rigurosa. La figura tenía, y tiene, indiscutiblemente, el pene en erección. En cambio, y ello nos aclara un poco las posibles confusiones, sabemos que el sexo por aquellos tiempos era más bien un instinto al servicio de la reproducción de la especie, no un arte elaborado del placer sexual estimulado por el intelecto. Aquellos hombres primitivos eran incapaces de intelectualizar lo sexual, vivían de instintos y de deseos primarios, y es por tanto una etapa iniciática de lo que el hombre logró posteriormente en esta materia. Mucho tiempo tuvo que transcurrir y mucha cultura gestarse antes de que se pudiera hablar de *lo erótico.*

El erotismo es un constructo de la cultura humana. Su surgimiento y reconocimiento es posible gracias al distanciamiento gradual y progresivo de la animalidad irracional más primaria. La evolución y madurez graduales del *Homo sapiens* y, desde luego, la intervención recreadora de los artistas acerca de la sexualidad, hicieron posible que el erotismo se transmutara en lo que es hoy.

Si apelara a dos de los más grandes intelectuales de América Latina —y del mundo— del siglo XX, Octavio Paz y Mario Vargas Llosa, obtendríamos definiciones inmejorables sobre lo erótico. Para Vargas Llosa, en la larga trayectoria de siglos en que se ha humanizado la vida de hombres y mujeres, nada ha cambiado tanto como la vida sexual, en alusión a que el sexo pasó de mera satisfacción, de una pulsión instintiva, a uno de los momentos más elevados de la vida en civilización. Para él, el erotismo es una actividad que saca a flote aquellos fantasmas escondidos en la irracionalidad que son de índole destructiva y mortífera. Desde luego se está refiriendo a los engendros del inconsciente que asoman en la vida sexual, aquella vocación fanática que tan bien reprodujo el Marqués de Sade.

A su vez, Octavio Paz escribió que el erotismo se debía a la conversión del amor físico y original, gracias a la cultura y a la libertad conquistada por el hombre, en un quehacer creativo que prolonga el placer, sublimándolo hasta convertirlo en obra de arte. El poeta mexicano, al profundizar en esta idea, escribió que el erotismo es imaginario, es un disparo de la imaginación frente al mundo exterior. Y agregó, es creación, invención, pues nada es más real que el cuerpo imaginado, nada menos real que el cuerpo tocado. Con el deseo se inventará otro cuerpo del cuerpo gozado, una experiencia total que jamás se realiza del todo porque su esencia consiste en ser siempre *un más allá*. Para este erotólogo el deseo, la imaginación erótica y la videncia erótica, atraviesan los cuerpos, los vuelve transparentes, es decir, queremos ver *algo* a través del deseo por un cuerpo. Ese *algo* es la fascinación erótica. El gran poeta y ensayista mexicano nos conduce desde el cuerpo y sus pulsiones hasta zonas ignotas, ese "más allá" en que solo la inspiración poética y los misterios asociados a la sexualidad pueden encontrar algunas certidumbres.

En este punto del análisis he reunido, de forma coincidente o confluyente, un grupo de conceptos definidores e inspiradores del erotismo que no merecen discusión: cuerpo, deseo, instinto, pulsiones, es decir, elementos que estuvieron presentes desde los orígenes y otros que surgieron con la cultura, las artes y la evolución humana.

El erotismo posee su propio lenguaje y su tiempo, un espacio que es el rumor de la insinuación, el roce de la caricia, la mirada incitadora, la fantasía creadora y el estremecimiento final del orgasmo; es vértigo, demencia de la piel, inflamación de la razón, sublimación de nuestros fantasmas; sensualidad y razón al servicio del lenguaje y de las imágenes. Se trata de un sentimiento o una emoción que pertenece a la mayor intimidad, no es algo a publicitar sino algo que sentir y experimentar. Somos seres eróticos tanto como seres sociales, pero el erotismo es un misterio que no nos abandona, y cuando se convierte en algo externo tiende a perder autenticidad (como es el caso de la pornografía). Podría apostillar ahora: el erotismo es hambre de vida.

Desde luego que las normas sociales son de vital importancia en el análisis de estos temas. Georges Bataille no se cansó de insistir en que la desaparición de frenos y censuras, la permisividad total en el amor, en vez de enriquecerlo y elevarlo a planos superiores de exquisitez y creatividad, lo vulgarizaba y en cierto modo podría crear las condiciones para un regreso a los tiempos remotos cuando todo se reducía a un desfogue de instinto animal que garantizaba la reproducción de la especie. La ciudad entra en este punto del análisis, pues las sociedades se organizaron y dieron lugar al espíritu gregario del hombre con una meta más ambiciosa que la preservación de la tribu y de los instintos de reproducción elementales.

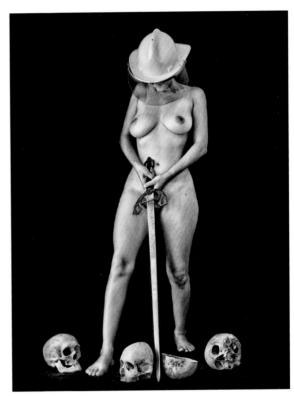

Sin título (2010), de Andrei R. Vorojbiov.

En la cultura occidental el camino hacia la representación artística del cuerpo no fue nunca una senda expedita y mucho menos lineal. La filosofía pensó el cuerpo desde sus mismos inicios; no podía ser de otra manera, pues para los conocedores y estudiosos estuvo claro que el cuerpo era —amén de nuestro soporte vital— el mayor y más rico surtidor de imágenes y metáforas existentes: no hay otro sujeto u objeto en las vastedades de la existencia humana que se le compare en su capacidad de gestar imágenes visuales y referentes intelectuales.

Platón consideraba al cuerpo —para el que ya tenía un vocablo, *soma*— como una dificultad para el acceso a la verdad, pero en sus obras finales sostuvo la conciliación armónica entre alma y cuerpo. Platón resulta una influencia imposible de obviar, pues su concepción del alma posibilitó engendrar la concepción del amor que ha llegado a nuestros días. La idea de separación entre alma y cuerpo apareció por vez primera en algunos presocráticos; Platón la asume, la sintetiza y la convierte en uno de los ejes de su pensamiento. Él fue, también, el origen remoto de lo que hoy consideramos *lo erótico.*

La condenación platónica del cuerpo a una suerte de prisión del alma ciertamente resultó un estigma muy duradero para el propio cuerpo. Según el gran filósofo griego el nivel más elevado de la belleza corporal se encontraba en la belleza de las almas, desdeñando así lo matérico. Así que la integración entre cuerpo y alma fue la garantía de un mundo perfecto creado por la divinidad.

Para Aristóteles el cuerpo había sido y era forma, y el alma, su dinamismo, ideas que han llegado hasta el presente atravesando todo tipo de mutaciones. Según su juicio, el cuerpo tenía su propio espacio y era una sustancia finita. Epicuro, a su vez, entendió que la esencia del cuerpo era el deseo; tesis que fue retomada por el psicoanálisis freudiano y lacaniano, pensamiento que más tarde se ha vuelto indispensable para explicar la raíz filosófica del ser humano tanto en el psicoanálisis como en el esquizoanálisis.

La concepción aristotélica del cuerpo surgió signada por el carácter extensible y divisible del mismo, afirmando la superioridad de la forma sobre la materia, rasgo que pervivió en el pensamiento filosófico occidental por siglos. Los aristotélicos consideraban igualmente al cuerpo como el sepulcro del alma. La patrística en sus inicios asumió el cuerpo como *instrumento del alma* y como tal susceptible de ser criticado según su eficacia o limitación. La escolástica aceptó tales presupuestos y Leibniz y Descartes le agregaron las tres dimensiones. Fueron los idealistas los primeros en ver el cuerpo de una forma más moderna al identificarlo como *percepción* o *idea,* a diferencia de los existencialistas que lo redujeron a *cosa* u *objeto.* Nuestra concepción actual del cuerpo posee muchos atributos que entonces fueron del alma.

Nietzsche, en cambio, exaltó el cuerpo al traducirlo en experiencia sensible superior: «soy todo cuerpo y nada fuera de él». El positivismo consideró siempre que las percepciones de los sentidos eran la única base imparcial del conocimiento humano y, más aún, del conocimiento exacto. Quizá fue el agustinismo medieval el primero en definir la teoría de la «forma de corporeidad», una interpretación que se prolongó en el tiempo y que tuvo en Novalis, entre los románticos, el más claro expositor con su «el hombre es imagen».

Por su parte, el maquinismo de Descartes aportó una cualidad nueva en la separación exclusiva entre cuerpo y alma y, sobre todo, inspiró teóricamente las investigaciones científicas sobre cuerpos vivos, aunque mantuvo en silencio filosófico las complejas relaciones entre ambos conceptos. Para solucionar el "agujero negro" de este dualismo cartesiano se elaboraron diversas soluciones teóricas: primero, reducir el cuerpo a un signo del alma, con lo que apareció el término *simbólico,* que tuvo a los románticos, como ya mencioné, entre sus más firmes sostenedores; segundo, considerar al cuerpo y al alma como dos manifestaciones de la misma sustancia; y por último, considerar al cuerpo como una forma de experiencia, interpretación esta que alcanzó con Merleau-Ponty,

a mediados del siglo XX, su más firme defensor cuando dijo: «Se trate del cuerpo del otro, o de mi propio cuerpo, no tengo otro modo de conocer al cuerpo humano que vivirlo, es decir, reasumir por mi cuenta el drama que lo atraviesa y confundirme con él».[108]

Las teorías *queer* enriquecieron los análisis y aportaron una perspectiva novedosa en la comprensión del cuerpo y de su imagen. La identidad en constante movimiento hacia lo andrógino y lo transgénero como blancos de la idea de la incompletud del ser fueron motivos recurrentes del arte del último tercio del pasado siglo hasta el presente. Ensanchar los límites y bordes de lo identitario convencional, buscar la hibridez y el dinamismo antinormativo, centraron los propósitos del trabajo de muchos artistas posmodernos y pos-posmodernos. El cuerpo se abrió a una nueva dimensión simbólica y exegética y el *otro* halló también nuevas miradas.

Esta prolongada y dificultosa arquitectura intelectual del cuerpo, que he visitado a vuelo de pájaro, hasta llegar al constructo posmoderno, ha contemplado los disímiles debates y representaciones que tanto la ciencia como la filosofía y el arte propiciaron en cada momento.

---

[108] Maurice Merleau-Ponty: *Fenomenología de la percepción*, FCE, México, 1957, p. 231.

IV

Intentando una síntesis que se evidencia poco menos que imposible, se podría decir que el cuerpo se desplazó pendularmente (o en espiral, en el mejor de los casos) entre la aceptación o rechazo de los dioses (o el dios) y la posibilidad de los hombres de revindicarlo, filosofía, arte y ciencias mediante. El amor, el erotismo y la sexualidad pertenecen por derecho propio a los avatares de las interpretaciones del cuerpo y, de alguna forma, al entrar en estos campos experimentales, el cuerpo se asocia a las imágenes que de él se ha forjado el hombre a lo largo de la historia.

El signo cuerpo, por tanto, encontró en el arte un lugar seguro y de activas transformaciones. Octavio Paz definió esta situación así: «Las deformaciones de la figura humana, en el arte del pasado, eran rituales; en el nuestro son estéticas e ideológicas. Ejemplo de lo primero: el racionalismo agresivo del cubismo; y de lo segundo, la no menos agresiva emotividad del expresionismo».[109] Para él, la subjetividad racional, sentimental e irónica (y siempre culpable, dice) tiende una línea perceptible, desde Rousseau y Blake, de exaltación del cuerpo hasta el presente moderno y posmoderno. Sin embargo, Paz fue demasiado absoluto cuando afirmó que el arte contemporáneo no nos ha dado una imagen del cuerpo; tarea que, según él, quedó en manos de modistas y publicistas. Para el erotólogo mexicano el arte celebra o consagra las imágenes del cuerpo que cada civilización inventa, con lo que relegó a un plano de subordinación muy discutible el papel del arte en estos debates. En otros escritos este autor se contradice echando más leña al intenso fuego de tales polémicas.

Para alcanzar una cosmovisión del cuerpo y de sus símbolos eróticos es necesario el lenguaje sensual, o lo que es lo mismo, los signos que le prestará el arte. La realidad del cuerpo es una imagen en movimiento fijada por el deseo. Los signos del cuerpo se darán artísticamente en la misma medida en que se libere y articule la comprensión por el hombre de sí mismo y en la misma proporción en que lo erótico se transmute en una sensibilidad del *ver*.

Según Sean Callaham, «cuando apareció la fotografía, cerca de 1840, la pintura estaba en camino de redescubrir el desnudo [...]. Una nueva corriente del realismo incitó a los pintores a representar el desnudo en los decorados contemporáneos, sin ningún accesorio alegórico o mitológico».[110] Cuando los fotógrafos, los soció-

---

[109] Octavio Paz: *Conjunciones y disyunciones*, Joaquín Mortiz Editores, México, 1978, p. 128.

[110] Sean Callahan: *NUDES. (Introduction: Arresting the Eyes)*. Graphic Press Corp, Zurich, 1975, p. 8.

logos y los críticos de arte dotaron a la fotografía de una conciencia de sí, quedó más claro que la realidad (y los retratados dentro de ella) se asumían en *un mirar* que poseía un protagonismo indiscutible y creativo, es decir, que otorgaban presencia e imagen. La identidad podía entonces *ser construida* y ya esto, a diferencia de lo testimonial, pertenecía a los dominios de la creación, o lo que es lo mismo, del arte.

Examino ahora, aunque sea someramente el mecanismo visual del que se sirve el erotismo del observador. En la mirada del hombre sobre el cuerpo desnudo se produce un desplazamiento metonímico desde la mente hacia las zonas del cuerpo que provocan la emoción libidinosa. La emoción que prodiga o motiva la imagen está asociada a nuestra vivencialidad y emociones. Ella por sí sola no produciría ese brinco en el estómago o cierta aceleración en el pulso, o la inflamación en los genitales, o todas estas sensaciones al mismo tiempo; o por lo menos, la sensación placentera de ver algo que se entremezcla con zonas ignotas y misteriosas de nuestra naturaleza sexual. Es necesaria entonces la comprensión, poseer las claves de los significados. De ahí que en materia de imágenes lo que para una cultura puede resultar erógeno o erótico, para otra puede ser poco menos que chato o indiferente.

De igual forma, nuestros sentimientos pueden connotar la mirada de una manera especial. No se mira de la misma manera cuando se ama o se desea a otra persona. Jacques Lacan ilustró la pulsión escópica del ser humano explicando por qué el *voyeurismo* o *mironismo* constituye un tropismo natural de la mirada ante motivos sexuales, dispositivo activado por la energía libidinal que está en la base de la reproducción de la especie. Como diría Roman Gubern, apostillando al célebre sicoanalista, «la mirada humana es atraída por un estímulo óptico de alta pregnancia»[111] o como dice un antiguo lugar común: mirar es una forma de poseer. Si nos remontamos a Epicuro, encontramos la certidumbre de que la vista es la puerta de acceso principal a nuestro cerebro, pues el pensador antiguo se preguntaba: ¿Qué es la visión sino una forma de tocar a distancia?

V

La Habana, ciudad abierta al Mar Caribe y trenzada con las corrientes marinas del Golfo de México, es ciudad portuaria y, como se sabe, la gran mayoría de las grandes ciudades históricas han sido estas urbes lamidas por la sal y

---

[111] Román Gubern: *El eros electrónico*, Editorial Taurus, Madrid, 2000, p. 175.

penetradas por los barcos. Por ellas y por su contacto marino han circulado el flujo cultural, comercial y humano a lo largo de la historia. La Habana es, volvamos a Abilio Estévez, un emporio urbano habitado por hermosos cuerpos, síntesis inmejorable de un mestizaje rico y poderoso, larvado a través de cinco siglos.

La belleza corporal que caracteriza a la capital de Cuba es reconocida por artistas, escritores y visitantes de todo tipo. Hoy es lo único que, desde el punto de vista de la representación, le hace contraposición a esa manía de algunos fotógrafos de hacer de las ruinas de edificios, calles y coches antiguos, el epicentro de sus imágenes. El "arte de hacer ruinas" (término que gozó de cierto momento de gracia) es neutralizado un tanto por el arte que emana de las fisonomías de los habitantes de la ciudad. La ruina urbana como metonimia de la ruina física del país deja el paso a la esplendidez de los cuerpos; es decir, estos centran la mirada en otra dirección, aunque a veces se fusione a dicha metonimia. La llamada del mar se confunde en La Habana con la llamada del sexo. Los cuerpos de cubanas y cubanos centran las miradas del arte del lente. Ha sido la fotografía la protagonista en testimoniar el poderío icónico de los cuerpos y legitimarlo.

Alberto Korda, Pedro Abascal, Roberto Salas, René Peña, Juan Carlos Alom, Julio Bello, Eduardo Hernández Santos, Jorge Otero, Abigail González, Lissette Solórzano, Félix Antequera, Rodney Batista, Yuri Obregón, Leandro Feal, Alberto Arcos, Ismael Rodríguez, Yanahara Mauri, entre otros reconocidos fotógrafos, han aportado un despliegue de la fusión cuerpo-ciudad que ejemplifica lo que trato de decir.

Mayelin tomando una siesta sobre la calle Chavez (1995), de Félix Antequera.

La fotografía cubana ha gestado un imaginario del cuerpo en estrecho vínculo con la urbe citadina, con sus ruinas y con la vitalidad de su erotismo.

En el caso del arte fotográfico en Cuba, itinerario que no es posible describir aquí por una elemental cuestión de espacio, se puede afirmar que desde los noventa del pasado siglo el tema cuerpo ha tenido un renacimiento y explosión a nivel de imaginario estético y sociológico. De los más jóvenes, es decir, de los fotógrafos que surgieron recientemente en el panorama artístico o se estrenan en el momento actual, considero útil advertir lo siguiente: la mayor parte de ellos nació durante los ochenta, algunos en los finales de esa década, por lo que coincidieron en vida y formación con la caída del "socialismo" y la implosión de la URSS; desarrollaron la adolescencia en el inicio y plenitud de la más dura crisis económico-social de la sociedad cubana posterior a 1959, creciendo en un caos estructural de valores y de ausencia de perspectivas en cuanto a proyectos vitales personales, todo lo que, como era de esperar, ha influido en sus obras. Ellos empuñaron, con total desenfado, los códigos de la posmodernidad y la globalización, han aspirado —y lo hacen— a ser "artistas internacionales" (o lo que es lo mismo, buscar la autonomía del arte) y no les cuesta ningún

esfuerzo verter miradas críticas a los numeroso defectos y carencias de la sociedad que los vio nacer. Todos buscan respuestas al enorme vacío en que se convirtió la utopía por la que lucharon sus padres y abuelos, lo que les lleva a ser inclementes en sus piezas de fuerte tono cuestionador y a veces contestatario. Otros buscan refugio en los territorios del yo y en la introspección personal más intimista posible.

La fotografía nació enamorada del cuerpo y éste halló en aquella una suerte de espejo plural e infinito para reflejarse y reinventarse hasta lo inabarcable. De la primera prostituta que posó ante una cámara de daguerrotipo en París, allá por 1844, a las multitudes desnudas que hoy fotografía Spencer Tunick en cualquier latitud del mundo, verdaderos tejidos de cuerpos que cubren calles y avenidas, el itinerario de la fotografía del cuerpo es tan vasto, accidentado y diverso que resulta imposible describirlo linealmente o como una simple historia secuencial. Quizá sea mejor utilizar un sentido de circularidad o de espiral ascendente como lo más apropiado para esta descripción.

Del cuerpo mítico al cuerpo canónico y de este al inefable cuerpo posmoderno, parece ser el recorrido ancho y ecuménico, e inabarcable, de la representación del cuerpo en la fotografía. Dentro de esta ruta llena de bifurcaciones y regresos todo ha sido posible en tanto la imagen nos ha entregado constantemente nuevos cuerpos y nuevas nociones de lo corporal.

No pretendo realizar un análisis exhaustivo de la fotografía del cuerpo en Cuba (no dispongo de espacio para ello en este texto), en cambio, trato de mostrar al cuerpo como espacio de prácticas artísticas desarrolladas dentro del conjunto más o menos estructurado de relaciones sociales que ha sido y es la sociedad cubana. Tal como expresó el esteta Adolfo Colombres: «Toda sociedad y toda cultura construye sus propios sistemas de relaciones sociales concernientes al desnudo»[112] y Cuba no es, desde luego, la excepción. Eso sí, ante la saga de las imágenes que ha gestado nuestra fotografía es imposible permanecer indiferente. El pensamiento visual resultante nos habla de intuitividad, información, apropiación de códigos artísticos foráneos, creatividad, apegos y distanciamientos del antiguo enfoque identitario nacional, lecturas posmodernas y permanencia de las visiones más tradicionales, todo mezclado y presente en la obra de nuestros fotógrafos durante más de medio siglo de obturar y recrear el cuerpo humano.

Los años noventa del siglo pasado representaron el claro punto de inflexión hacia una actualización y modernización de las miradas. A partir de las imágenes de los noventa la fotografía cubana del cuerpo entró de lleno en los cambios producidos por la posmodernidad. Así, se adentró en una deconstrucción ideológica de lo fotográfico, se apeló al pastiche *posmodern*, se adoptó la aplicación a la imagen de conceptos del diseño y se utilizó la ambivalencia de la imagen y del rol del cuerpo dentro de una iconografía en constante movimiento, con lo que se aceleraron los ritmos de apreciación de lo corporal; en fin, se actualizó la práctica artística a tono con los tiempos que corren.

En cuanto a lo sexual y su corolario, el erotismo, se podría convenir que sirvió de catalizador de análisis de corte sociológico que marcaron las imágenes de finales de los ochenta en lo adelante. Devino coartada, vehículo movilizador de los ánimos de cuestionamiento y transgresión social; devino también metáfora de reflexiones sico-sociales pero, sobre todo, en el propio ámbito de la sexualidad, de meditaciones sobre el erotismo duro, el placer por las formas, el protagonismo de los genitales, el cuerpo resistente a las rigideces institucionales, a la visión simple, disciplinada y "políticamente correcta" de la vida cuasi militar o misionera a la que se sometió por décadas a la población.

112 Adolfo Colombres: "El desnudo: acción y pasión", en revista *Criterios*, No. 22, La Habana, 1992, p. 99.

De la serie *Cuerpos* (2000), de Julio Bello.

Podemos apreciar entonces, en la fotografía cubana más reciente, el cuerpo-cuerpo, el cuerpo fragmentado, el cuerpo-tiempo, Eros y Thánatos revisitados una y otra vez, el cuerpo marginal, el cuerpo metafórico, el cuerpo-idea, el cuerpo-ciudad, en fin, la imagen cuerpo en la rica y compleja polisemia y resignificación de los tiempos que corren.

VI

No existe hoy mismo una tendencia o estilo predominante en la fotografía del cuerpo que se hace en Cuba, por lo que puedo afirmar que se recrea sin desfases al ritmo de las corrientes en boga del arte internacional; se emplean las técnicas e hibridaciones pertinentes para ofrecer concepciones contemporáneas de lo corporal no simétricas o connaturales a la historia, las morfologías y la identidad plural que hoy existen en el arte cubano. Es también una forma legítima de enfrentarse a la banalización de la imagen corporal tan común en los medios de comunicación masiva (los de aquí y los de allá). Una muestra de resistencia, vale añadir, a las invasiones de la política, a las dobleces morales de la sociedad y, como ya expresé, a las imposiciones de cualquier índole. Resistencia y apertura al mismo tiempo, lo que habla de madurez en la interpretación y recreación de lo corporal en el arte fotográfico cubano.

La fotografía cubana actual ha propiciado o ha sido el escenario del tránsito del modelo moderno del cuerpo, es decir, de la construcción intelectual del cuerpo al modelo posmoderno o lo que es lo mismo, el cuerpo en sus transparencias, atomizaciones y disipaciones; el cuerpo en sus resignificaciones y envolturas, en su ambigua capacidad de ser núcleo aglutinador a la vez que fuerza centrífuga de ideas y conceptos, en su volátil y maleable expresividad, sigue repoblando el mundo de imágenes y sigue siendo el surtidor de signos por excelencia.

La ciudad, sus cuerpos, y las miradas que legitiman y eternizan a una y otro, merecen estudio y profundización. Lo que comenzó siendo, allá en la profundidad de los tiempos, una aventura de la mirada mediterránea sobre el signo cuerpo, es hoy una práctica cotidiana del arte del lente en la ciudad de La Habana. Parece evidente que se ha creado una epistemología del cuerpo en nuestra fotografía.

Rafael Acosta de Arriba,
La Habana, a febrero de 2018.

RAFAEL ACOSTA DE ARRIBA (La Habana, 1953). Investigador, crítico de arte, poeta, ensayista, profesor titular de la Universidad de las Artes (ISA) y de la facultad de Artes y Letras de la Universidad de La Habana. Doctor en Ciencias Históricas (1998) y Doctor en Ciencias (2009), o post doctorado. Ha publicado seis libros de poesía y nueve de ensayos; participa en una treintena de libros de varios autores. Ensayos y artículos suyos han sido publicados en revistas especializadas fuera del país. Ha recibido diferentes premios y reconocimientos, entre ellos el Premio Anual de Investigaciones del Ministerio de Cultura en cuatro ocasiones y en dos ocasiones el Premio Nacional de Crítica de Arte *Guy Pérez Cisneros*.

CARIBBEAN FRONTAL NUDE

Desnudo y teatro en Cuba

Cuando se estrenó *La cuarta pared*, el espectáculo que dirigió Víctor Varela en 1988, no fueron pocos los elementos que convirtieron a ese montaje en un suceso completamente inesperado. No solo porque se trataba de un director que venía de una formación teatral ajena al Instituto Superior de Arte; ni porque se representara en el domicilio de la coreógrafa Marianela Boán y no en un teatro. Ni tampoco porque ese título desmontara la utopía de una juventud feliz y libre de contradicciones en el socialismo dorado de la época; sino también porque se reconectaba con búsquedas experimentales coartadas en el teatro cubano a inicios de los años '70 y concluía con un desnudo integral de sus cinco intérpretes. Sin ser el primer desnudo de la escena cubana, la mezcla de esos factores reforzaba el impacto de esa imagen final, como si el exorcismo que *La cuarta pared* reclamaba, sin apelar a palabras sino a sonidos guturales y

a una fábula cargada de metáforas opresivas, validara el despojamiento total de cualquier carga, y sin asomo de erotismo, dejaba en la mente del espectador una visión demoledora. Para llegar a ese punto, y a la aprobación oficial del espectáculo que vino a darse en 1990, cuando se incluye en la cartelera del Festival Nacional de Teatro de Camagüey, hubo que recorrer un largo camino contra tabúes, estigmas, cobardías y censuras que finalmente el cuerpo humano, como única posesión real de cada uno de nosotros, ha logrado rebasar por encima de pudores, falsos escándalos y mucha pacatería.

La cuarta pared (1990), Teatro Obstáculo.

A diferencia de lo que ha ocurrido con la escena en varios lugares del mundo, algunos relativamente cerca de la Isla, como Brasil, por mencionar solo un caso, el cuerpo sin atuendos de actores, actrices y bailarines y bailarinas se ha demorado en Cuba en dejarse ver sobre las tablas. La tradición carnavalesca y festiva de otras expresiones y nacionalidades no está tan a la vista entre nosotros como se quisiera, a pesar de la larga estela de comedia y parodia que caracteriza a una buena parte de nuestra historia escénica, y la sobreabundancia de referentes eróticos de nuestra cotidianidad. El desnudo quedaba como dominio de las artes plásticas, pintura y escultura básicamente, y en referentes literarios. Reorganizar los referentes que nos dejan saber del desnudo tanto masculino como femenino en nuestros coliseos implica conectar cabos sueltos, acudir a testimonios verbales y dejar a un lado numerosas clases de timidez y censura que aún acosan. Valga aclarar desde ahora que aún hoy, cuando tantos se han desnudado antes nuestros espectadores, la aparición de tal imagen sigue provocando reacciones no siempre positivas sobre tal cosa: el tabú continúa siendo para muchos una especie de fantasma ansioso de tapar con hojas de parra miembros y deseos. Esas contradicciones tan propias de los cubanos.

La tradición judeocristiana que vino a estas tierras con los españoles hizo que los recién llegados se escandalizaran ante los cuerpos desnudos y semidesnudos de los aborígenes. Ya llamaba la atención al respecto el propio Almirante: «Ellos andan todos desnudos como su madre los parió, y tambien las mugeres, aunque no vide más de una, farto moza, y todos los que yo vi eran todos mancebos, que ninguno vide de edad de más de treinta años, muy bien hechos, de muy fermosos cuerpos, y muy buenas caras».[113] Diego Álvarez de Chanca, en el segundo viaje, también apunta: «Toda esta gente, como dicho tengo, andan como nacieron, salvo las mugeres de esta isla traen cubiertas sus vergüenzas, dellas con ropa de algodón, que les ciñen las caderas; otras, con yerbas é fojas de árboles». Con esos elementos bailaban los aborígenes las danzas propias del areíto, en lo que ahora se conoce como formas pre-teatrales. Ya se sabe lo poco que duró ese instante en la historia de Cuba. Ni cuerpos desnudos, ni bailes que los españoles tenían por profanos. Demoraría mucho la danza cubana en recuperar ese tipo de figuraciones, que en 1512 ya fueron prohibidas por un mandato firmado en Burgos.

Para encontrar otras noticias sobre hechos danzarios o escénicos que mostraran el cuerpo de sus ejecutantes al desnudo hay que mo-

---

[113] Cristóbal Colón: *Diario de navegación.* Publicación de la Comisión Nacional Cubana de la UNESCO, La Habana, 1961, p. 49.

verse pues, al siglo XX. La procacidad del teatro bufo, y también la del teatro que aspiraba a un reconocimiento más serio, estuvieron siempre bajo la mira de los censores, que tachaban lo mismo líneas de *El conde Alarcos* de Milanés, que condenaban los sainetes y "absurdos cómicos" empleando las excusas más inimaginables. Referencias políticas, sátira social o desborde de doble sentido, por metafóricos que fuesen, podían terminar en acontecimientos como el tiroteo del Teatro Villanueva, provocado el 27 de enero de 1869 durante una de las funciones de *Perro huevero aunque le quemen el hocico*, obrita de Juan Francisco Valerio en la que uno de sus intérpretes subrayaba con un grito aquello de "Viva la tierra que produce la caña de azúcar", o sea, un "Viva Cuba libre" apenas disimulado, lo que bastó para desatar la matanza que evoca José Martí luego en sus *Versos sencillos*.

A inicios del siglo XX el teatro cubano no había encontrado aún forma de librarse de la herencia españolizante, y por ende, de esos patrones morales que se articulaban esencialmente en el melodrama o la comedia ligera, con temporadas de ópera y zarzuela que eran de gran acogida popular. Sin embargo, a inicios de siglo, justo en 1900, el Teatro Alhambra, en la esquina habanera de Consulado y Virtudes, iba a reinventarse como coliseo para "hombres solos", donde los nuevos empresarios (líderes de la empresa Pirolo-Villoch-Arias) crearían lo que se ha dado en llamar, por derecho propio, "género alhambresco". Como bien aclara Rine Leal, esto consistía en que sus animadores reciclaron los resortes ya probados por los fundadores de la comedia nacional: «no hicieron otra cosa que prolongar los mecanismos de comunicación del bufo, sustituir unos tipos vernáculos por otros y mantener los elementos de apelación del público, basados en la música, el texto superficial, el choteo, la parodia, el tono subido de color o francamente pornográfico, y la actualidad política, excluyendo de la misma toda crítica que fuese a la raíz del problema».[114] Regino López, conocido como el "Lope de Vega criollo" fue uno de los pilares de esa temporada que parecía infinita, que solo detuvo el derrumbe parcial del teatro en la noche del 18 de febrero de 1935.

Las piezas que se conservan del repertorio alhambresco dan fe de su tono relajado y del choteo como herramienta que igualaba, de manera radical, lo alto y lo bajo en aquel coliseo que tuvo como directores de orquesta a Manuel Mauri y Jorge Anckermann, y a numerosos

---

[114] Rine Leal: citado por Luciano Castillo: "La bella del Alhambra" en *20 aniversario de La bella del Alhambra de Enrique Pineda Barnet*, Ediciones ICAIC, La Habana, 2009, p. 60.

compositores de valía entre sus colaboradores. La complicidad homosocial de ese núcleo de espectadores exclusivamente masculino denota una serie de códigos de lectura y recepción que hicieron del Alhambra un fenómeno irrepetible, en el que se mezclaban guarachas, bailes, parodias e insinuaciones de una calistenia que ponía en movimiento cuerpos y deseos prohibidos en otros escenarios, aunque algunos de sus cuadros, adecentados, se presentaban en el Payret y en el entonces llamado Teatro Nacional. La decadencia del Alhambra ya se hacía sentir a fines de los años 20, cuando emerge el teatro lírico cubano con una fuerza arrolladora (Lecuona, Roig, Prats...), y es cosa sabida que hacia el final de su existencia los elementos pornográficos eran parte de la baja de calidad de sus tres tandas diarias. Las rollizas coristas del Alhambra que se dejaban ver en *La revista sin hilos* o *La isla de las cotorras* no pudieron luchar contra el cambio de gustos ni contra el desgaste de sus argumentos y sus cuerpos. Queda en el recuerdo de bisabuelos lo que pudo haber sido ese tipo de espectáculos, contra los cuales, por supuesto, no faltaron ataques de ligas de la decencia y otras entidades por el estilo.

Si la fama del Alhambra ha trascendido a las páginas del teatro cubano, la memoria de un coliseo mucho más humilde y desinhibido espera aún por ser recuperada. En la segunda parte de *El padrino* (1974), el famoso título cinematográfico dirigido por Francis Ford Coppola a partir de la novela de Mario Puzo, se le rinde un tributo que aún no hemos completado los descendientes de quienes fueron su público habitual. En una importante escena de esa película, Michael Corleone descubre la traición de uno de sus "fieles" justo mientras contempla el espectáculo que todas las noches protagonizaba allí Supermán, famoso por su pene gigantesco, que tenía sexo ante esas miradas con una de las integrantes del show. El teatro Shanghai, cuyo copropietario para esa época era José Orozco, sigue siendo una especie de mito cargado de tabúes, del que se habla poco y sobre el cual se ha historiado menos. Ciro Bianchi Ross niega, por ejemplo, que ese acto que hiciera famoso al tal Supermán se ejecutara sobre esas tablas, según afirma en su crónica para Juventud Rebelde publicada en abril de 2012; cosa que ha contradicho Pedro Juan Gutiérrez rememorando además la leyenda nocturna que reúne al priápico personaje con Ava Gardner. Guillermo Cabrera Infante, en uno de los pasajes de *La Habana para un infante difunto*, regala una estampa sobre ese teatrico de la calle Zanja que resulta impagable, evocando su primera visita allí como un «acto de iniciación». El destino de Supermán es desconocido, muchos aseguran que era homosexual, y no se sabe si murió en el exilio, en Miami, o en México, y se cuenta que un coleccionista norteamericano atesora un filme doméstico donde se le puede ver confirmando su leyenda, algo que me corrobora el investigador Alfredo Prieto. Pero puede que el lugar y las circunstancias de su muerte sean también parte de un misterio que no podrá comprobarse nunca.

Lo que sí es cierto, según testimonios que he escuchado, es que en el Shanghai, con o sin las 12, 14 o 18 pulgadas que se le adjudican al pene de Supermán, presentaba escenas humorísticas y musicales, y cuadros vivientes donde las coristas se mostraban tan desnudas como extáticas. Las palabras obscenas remataban los chistes, cosa en la cual se especializó Armando Bringuier, que encarnaba a un descacharrante viejo verde junto a otros que ofrecían versiones más crudas de la mulata, el negrito, el gallego, el policía, el chino y el maricón, entre otras máscaras de aquella galería de comedia desparpajada. Por un dólar y veinticinco centavos, esos eran los cuerpos desnudos que se dejaban ver en los teatros de una capital que se hizo famosa como una suerte de Sodoma del Caribe. Hoy no queda nada de aquel teatro que tuvo sus temporadas iniciales gracias a descendientes del Barrio Chino que interpretaban

piezas de la ópera de Pekín en ese recinto. Vale la pena mencionarlo aquí a fin de que no caiga en el olvido tan precipitadamente.

Cuando los rebeldes llegan a La Habana, esa es una Cuba que va a cambiar de modo radical, es el mismo país que lograba producir filmes pornográficos en mayor cantidad que los que se rodaban en Brasil durante esa década. Es 1959, y la Revolución implica reajustes, nuevas voluntades, y curiosamente, también la persistencia de ciertos atavismos, y una moral conservadora. Si en los años '60 se explota el uso del cuerpo desnudo como un elemento que aparece de manera constante en el arte de la época, en nuestro país perdurarán códigos morales que retardarán la llegada de esos atrevimientos. No tanto en el cine ni en las artes plásticas (recordemos la escena de la carga al machete protagonizada por los negros sin ropas, o la violación de las monjas en *Lucía*, dirigida por Humberto Solás en 1968, por poner algún ejemplo), pero sí en el teatro, al cual esa clase de "excesos" le estaría aún vedada por largo tiempo.

No es que faltaran asomos de intentos aquí y allá, lo cierto es que desnudar actores y actrices o bailarines era casi impensable. Por ello, parecería que en el teatro cubano de los '60, pletórico de búsquedas y de espectáculos tan célebres como *Santa Camila de La Habana Vieja*, *La noche de los asesinos* o *María Antonia*; no llegó a romper esos límites. Sin embargo, hago una salvedad: recordemos que si los intérpretes humanos no podían desvestirse, tal veto no era aplicable a los títeres, y es por ello que los líderes del Teatro Nacional de Guiñol, los hermanos Pepe y Carucha Camejo junto a Pepe Carril, consiguieron apuntarse notables éxitos con espectáculos para público adulto tan memorables, y relajados en el orden erótico, como *Asamblea de mujeres*, *La Celestina* y sobre todo *La Corte del Faraón*. En esa versión de la célebre zarzuela española, Carucha Camejo afrontó los enredos sexuales del argumento con espíritu literalmente deportivo, creando un gozoso paralelo entre una cosa y la otra, en un juego escénico donde los títeres diseñados por

La Celestina, Compañía El Público.

su hermano no guardaban demasiado pudor. Se les quiso acusar de pornográficos, pero en aquel momento tal denuncia no pasó de ser eco del disgusto de algún amargado. Luego, ello tendría otras duras resonancias.

La década fue pródiga en búsquedas formales y conceptuales, también para la escena. En Teatro Estudio Vicente Revuelta proseguía su trabajo sobre la psiquis y el actor; Roberto Blanco fundaría Teatro de Ensayo Ocuje y exploraría los grandes formatos, aliándose con Leo Brouwer y Manuel Mendive en varias de sus producciones; Ramiro Guerra activaba el Conjunto de Danza Moderna que sería el núcleo del cual emanaría luego Danza Nacional de Cuba, hoy Danza Contemporánea de Cuba. A la par se consolidaba el Ballet Nacional de Cuba y tantas otras instituciones, como el Conjunto Folklórico. La dinámica de la época era intensa y contenía numerosos rompimientos: llegaban a la Isla muchos creadores e intelectuales con noticias de lo más reciente. El *happening*, la *performance*, tuvieron sus ecos insulares, a pesar del recelo institucional que presentía en esas proyecciones un eco del mundo capitalista que a los funcionarios se les antojaba inaceptable. Las discusiones y los debates eran persistentes. Al final, los funcionarios se salieron con la suya.

Un año de rupturas fue 1968. Varios miembros de Teatro Estudio se separan y deciden fundar Teatro Escambray, argumentando que la escena cubana no estaba en sintonía con la nueva realidad y eligen irse a las lomas en pos de un público virgen. Otros se alejan del núcleo madre y fundan el grupo Los Doce, con intención de seguir investigando en las lecciones de la vanguardia. Vicente Revuelta se une finalmente a ellos y dirige *Peer Gynt*, a partir del original de Henrik Ibsen. Mucho se ha mitificado alrededor de ese núcleo, pero consta, por testimonio del propio Vicente, que a fin de librar a los actores de las máscaras y actitudes preconcebidas, experimentó con la idea del desnudo en los ensayos. Al estrenarse, los intérpretes estaban cubiertos por piezas que cubrían sus genitales, y empleaban otros elementos de vestuario en aquel montaje fuertemente influido por las postulaciones del polaco Jerzy Grotowky y su teatro pobre, en 1970. Ese mismo año, José Milián estrena su exitosa pieza *La toma de La Habana por los ingleses*, versión explosiva y paródica de los hechos históricos, que también recibió acusaciones de pornográfica debido a los atrevimientos de su lenguaje, y que concluía con un "casi" *strip-tease*: todo el elenco se despojaba de sus ropajes mientras se escuchaba una versión instrumental de *Con tu blanca palidez*, y terminaban solo con pequeñas trusas mirando al público de modo desafiante. Esa era la línea inquebrantable: si en otras latitudes el desnudo final hubiera sido la solución de aquel espectáculo tan desacralizador, aquí aún no podía irse más allá.

Consciente de eso, Ramiro Guerra, siempre atrevido, jugó una vez más con las alegorías, pero ni eso le libró de lo que vendría sobre él en el inicio mismo de los años '70. Yendo de ruptura en ruptura, con espectáculos como *Medea y los negreros*, *Improntu Galante*, y otros que adelantaban la idea de la danza-teatro, en 1971 concibe un espectáculo itinerante en los jardines del Teatro Nacional de Cuba que aún sin llegar al estreno oficial, logra ser recordado como un enorme estremecimiento. *El decálogo del Apocalipsis* era una revisión hilarante de pasajes bíblicos que pretendía desenmascarar tabúes y viejos temores. Consciente de que no podría desnudar a sus bailarines, se alió con Eduardo Arrocha, el excelente diseñador de la compañía, y concibió vestuarios para los *maillots* de los danzantes que mediante el uso de formas, colores y rejuegos provenientes del *pop art* remedaran falos, vaginas y otros genitales.

Los diseños conservados dan fe del hermoso atrevimiento, pero el público no se enteraría del asunto hasta que muchos años después lograran exponerse: cuando los funcionarios del Consejo Nacional de Cultura que acudieron al ensayo general presenciaron las escenas de *El decálogo* y oyeron a los bailarines proferir palabrotas en distintos idiomas, incluido el español, como parte de una de esas secuencias, dictaron la sentencia sobre el espectáculo, que nunca llegó a las carteleras, y le costó a Ramiro Guerra varios años de retiro. Tiempo que él aprovechó, por suerte, para escribir textos hoy fundamentales sobre la danza en nuestro ámbito.

El decálogo del Apocalipsis, con sus provocadores doce segmentos, era una idea extraordinaria programada en el peor momento posible. En 1971 se produce el I Congreso de Educación y Cultura, que terminó implementando una serie de normas o parámetros según los cuales se definía quién y quienes podían ser nuestros educadores y nuestros artistas. De esos parámetros proviene la infausta época de la "parametración": si un maestro o un creador no reunía esos parámetros morales, ideológicos o políticos, podía ser retirado de su oficio, obligándosele a seguir trabajando lejos del contacto de la juventud a la que no podría seguir "corrompiendo", o del público al que no lograría seguir "envenenando" con sus propuestas sospechosas. Directores, dramaturgos, actores y actrices, diseñadores, coreógrafos, bailarines, artistas plásticos, etcétera, se vieron forzados a trabajar como linieros, pintores de brocha gorda o cazadores de cocodrilos o enterradores, por surrealista que parezca, a fin de no quedar desempleados y por ende, quedar bajo lo penado por la Ley de la Vagancia. Homosexuales, religiosos, desafectos a la voluntad de la Revolución, cayeron bajo ese mandato. El Teatro Musical de La Habana cerró, el Teatro Nacional de Guiñol perdió a sus celebrados líderes y así pasó con muchos, atrapados por una oleada donde la mediocridad, la envidia, la delación y el oportunismo se cebaron con los más talentosos. En ese ámbito, también se reguló qué se vería en escena: nada de *performances* ni *happenings*, y mucho menos piel más o menos desnuda sobre la escena. El quinquenio gris, como le llamó el crítico Ambrosio Fornet a ese período, cubrió cuerpos y deseos, dio a los homófobos, fundamentalistas y jueces de la "nueva moral" carta blanca para acabar con todo eso. Una época que aunque superada, dejó no pocos traumas en quienes la vivieron. Y por supuesto, muy pocos cuerpos desnudos que recordar: para ir a ver los lienzos atrevidos de Servando Cabrera Moreno había que irse al estudio del pintor.

Cuando las aguas retomaron su nivel, y se determinó que la parametración era anticonstitucional, se devolvió a las víctimas de tal disparate el salario íntegro que por algunos años no habían cobrado. Varios de ellos fueron llamados nuevamente a grupos de teatro, editoriales, escuelas, etc.; aunque valga aclarar que no todos recibieron ese trato, pues algunos recelos persistieron. En 1976 se funda el Ministerio de Cultura, y la nueva institución trata de limpiar el recuerdo de aquel quinquenio donde imperaron los jerarcas del Consejo Nacional de Cultura. La Dirección de Teatro del MINCULT organiza el Festival de Teatro de La Habana en 1980, como una maniobra que pretendió restañar mucho de lo que había sido amenazado y casi atomizado. En ese momento de aperturas se extendió el diálogo con otros creadores de la escena, y finalmente, en 1983, el público cubano pudo divisar sobre las tablas algún cuerpo desnudo, aunque fuera un cuerpo extranjero.

Tal y como me han ido corroborando varios testimoniantes, correspondió al grupo venezolano Rajatabla abrir la brecha. Bajo la guía del talentoso Carlos Giménez llega a Cuba *Bolívar*, el espectáculo en el que un grupo de presos reimaginan pasajes de la vida del Libertador. Podría pensarse que una figura tan sacralizada como la de Bolívar no daría pie a tales desafueros, pero resultó que en dicho espectáculo se dejaban ver, aunque fuese muy brevemente, los cuerpos desvestidos de los intérpretes que asumían a Manuelita Sáenz y al mismísimo Simón.

La pieza de José Antonio Rial desacralizaba el mito, y en esa cuerda los desnudos aportaban un distanciamiento del mármol y las loas ya insufribles. El montaje devino un éxito que ayudó a remover otros tabúes, sorprendiendo por su solidez, tan firme como para acallar a los escandalizados de siempre. Si los venezolanos amigos de Cuba podían desnudarse, por qué no iban a hacerlo nuestros actores. Y la campanada se escuchó alta y clara.

Roberto Blanco recupera en 1984 su célebre *María Antonia*, escrita por Eugenio Hernández Espinosa, y a tantos años de su estreno, en 1967, la devuelve al Teatro Mella, donde la obra ganó sus primeros y resonantes aplausos. El montaje seguía la pauta de aquél que anunció el Taller Dramático, pero Blanco, a la cabeza de su propio grupo, Teatro Irrumpe, revisó detalles y acomodó en él varios elementos. Al final de la representación, el cadáver de la protagonista se dejaba ver desnudo, tras recibir la puñalada de su amante despechado. Se cuenta que Hilda Oates, la María Antonia por excelencia, se sometió a una cirugía para lucir su mejor físico en tal instante. Y así se le pudo ver en el rol, hasta la última reposición que protagonizara, grabada por la Televisión Española en 1989 para la serie *Escenario de dos mundos*.

En un universo hiperteatral como el de Roberto Blanco (que había retornado de la parametración con propuestas tan provocadoras como su *Yerma*, de 1979), el cuerpo humano era también un elemento tan atractivo como el manejo de un amplio paño o el cuidadoso vestuario de sus puestas en escena. Regresaría a este recurso en uno de sus trabajos más exitosos: su *Mariana*, de 1987, a partir de la Mariana Pineda de Federico García Lorca. Lillian Rentería, en el momento más hermoso de su juventud, era la atormentada heroína, y en su escena íntima con Pedro Sotomayor (Roberto Perdomo) ambos se dejaban ver desnudos. Con lo cual la actriz deslumbraba al auditorio mediante su crecimiento interpretativo y su espléndida belleza, dos factores que el sabio director no quiso desaprovechar. Blanco no dejaría de emplear este recurso: en su montaje final, *El perro del hortelano*, dejaba a la vista un desnudo fugaz del protagonista de esa pieza, a manera también de despedida.

A partir de ahí va creciendo la presencia de cuerpos despojados de ropajes, tanto en la escena dramática como en la danza. Marianela Boán crea su propia compañía también en 1987 y desvestir a sus bailarines será una de las claves de provocación de su poética. A ella se debe, en 1988, el primer desnudo masculino de nuestra historia danzaria, que se expuso ante los espectadores de Bayamo (en la capital le había sido imposible ejecutar tal atrevimiento) y tomó por sorpresa a todos. Ramiro Guerra, cuenta él mismo, se maravilló tanto ante el desacato que representó *Sin permiso*, que afirmó que después del incendio de la ciudad en la época colonial, esta era la fecha más relevante en toda la historia de dicha urbe. En trabajos posteriores suyos (*Antígona* y *El pez de la torre nada en el asfalto*, por ejemplo) y de coreógrafos que fueron sus discípulos, la Boán demostró que nunca procuraba un simple efectismo al apelar a este recurso. Pepe Hevia, por ejemplo, firmó en 1990 *Desnuda*, un dueto femenino con matices lésbicos que hacía honores a su título, y que es recordado no solo por los cuerpos de sus bailarinas, sino por el desafío que ellas bailaban sin tapujos.

Los impulsos de la danza-teatro, pues, resultaron liberadores también en estos términos. El Ballet Teatro de La Habana apelaba al cuerpo desnudo en montajes como *Yellow Dreams*; y Danza Combinatoria, hoy rebautizada como Compañía de Rosario Cárdenas, cumplimentaban lo que tal vez soñara Ramiro Guerra con su decálogo. Cárdenas, por ejemplo, en piezas como *Dador* o su muy reciente *Afrodita, ioh espejo!*, no dudaría en sacar partido de sus intérpretes y sus bien entrenados cuerpos, para rememorar los ecos de Lezama o mitos primigenios, ya entrado el nuevo milenio. En el repertorio de Danza Contemporánea de Cuba, donde

ella misma, como la Boán, se forjara; han aparecido piezas tanto cubanas como extranjeras que también siguen esa línea. Y el propio Ramiro Guerra consiguió finalmente desnudar a sus intérpretes, ya fuese en *Ordalía*, una obra que coreografió en su propio domicilio en los años '90, o en su título de despedida: una *Fedra* irreverente, del año 2001, donde la delgada figura de Mijailer Vega aparecía desvestida junto a un cuerpo de baile rollizo, que hubiera hecho delirar a Rubens.

Pero antes de que mucho de eso sucediera, estuvo *La cuarta pared*. Víctor Varela había llamado la atención con *Los gatos* (1987), propuesta basada en el diálogo de una pareja en crisis. Su siguiente espectáculo tocó una cuerda sensible: la realidad de la juventud cubana más allá de la épica y los lugares comunes que se empleaban para representarla. Sin textos, era un largo ritual donde muchachos y muchachas ponían en duda todo lo predecible. Su impacto alcanzó a poetas, cineastas, narradores: La Habana de fines de los '80 exigía una bocanada de aire fresco, a la manera en que los artistas de la plástica lo exigieron al salir de las galerías y retar a las instituciones con proyectos como Arte Calle o el grupo Puré. *Performances*, *happenings*, negación voraz de lo académico, así empezó una sacudida que no era simple *snobismo* (aunque por supuesto algo de ello hubiese en el gesto y en varios de sus provocadores), y que se extendió en términos de una pequeña y valiosa revolución. En ese ámbito, *La cuarta pared* era un desacato aun mayor, al no representarse en un teatro, ante ese puñado de espectadores de cada noche. Pasó de todo con *La cuarta pared*, incluso, el que la imagen final: ese desnudo integral de sus intérpretes, nos dijera que el cuerpo desvestido no era solo una incitación erótica. Aquí tal despojo de vestimentas hablaba de un desgarramiento que sembraba otras interrogantes en el auditorio.

La conmoción que provocó la puesta en escena sobrepasó recelos y sospechas muy agudas. En 1990 el espectáculo llega al Festival Nacional de Teatro en Camagüey y el grupo, bajo la aprobación de Raquel Revuelta, primera directora del Consejo Nacional de las Artes Escénicas, se convierte en un proyecto oficial que se conocería como Teatro Obstáculo, y que se mantendría en activo hasta mediados de la década con otras propuestas no menos interesantes, entre ellas una versión como monodrama de *La cuarta pared* interpretada por Bárbara Barrientos. El desnudo integral se había logrado encarnar ya en la escena cubana, pero aún faltaba quien diera a ese recurso un valor de subversión más incitante.

Ese director es Carlos Díaz, quien debuta como responsable de un núcleo escénico en 1990, gracias al amparo de Pedro Rentería, director en ese momento del Teatro Nacional de Cuba, quien le acepta el reto y le propone producir no una, sino tres piezas fundamentales de la dramaturgia norteamericana de los años '40 y '50. Es así que la sala Covarrubias se llena de cuerpos, elementos, telones, sonoridades enrarecidas y paródicas, para reinventar en tres lecturas explosivas el *Zoológico de Cristal*, *Té y simpatía*, y *Un tranvía llamado deseo*. Las obras de Tennessee Williams y Robert Anderson fueron sometidas a una relectura profunda y desacralizadora, que sacó a flote los fantasmas que se movían entre líneas. Potenciaron un análisis desinhibido de sexualidades, diversidades y posibilidades que atacaban a la doble moral, a los silencios y traumas de esos personajes, desde la revisión desarrollada por Armando Correa y el propio Carlos Díaz sobre esos textos que no se veían en Cuba desde hacía mucho tiempo. Un elenco esencialmente joven (Jorge Perugorría, Javier Fernández, María Elena Diardes, Odalys Villamil, Dolores Pedro, Thais Valdés), se mezcló con actores más experimentados (Mónica Guffanti, Luis Celeiro, Pancho García, Roberto Perdomo), para devolver al público cubano esos argumentos, ya más recordado por las versiones cinematográficas que tuvieron que enfrentar censuras en Hollywood, pero que al fin no solo se exponían sin tales objeciones, sino con subrayados precisos acerca de lo que no se había "atrevido a decir su nombre" en algunas de ellas.

ZOOLOGICO DE CRISTAL

TENNESSEE WILLIAMS

Dirección escénica: CARLOS DIAZ
VERONICA DIAZ · MARIA ELENA DIARDES · JAVIER FERNANDEZ
JORGE PERUGORRIA · GONZALO HERNANDEZ
Dramaturgia y asesoría teatral: ARMANDO CORREA
Música: JUAN PIÑERA
Diseño de vestuario: VLADIMIR CUENCA
Diseño de luces: TONY DIAZ
Diseño de escenografía: CARLOS DIAZ
Telones: CONSUELO CASTAÑEDA · QUISQUEYA HENRIQUEZ
Asistente de dirección: LEANDRO ESPINOSA
Producción: JULIO SALERMO

TEATRO NACIONAL DE CUBA
Sala Covarrubias

-14-15.20-21-22.28-29 julio hora: 9:00 pm.

Cartel de la obra teatral *Zoológico de cristal*

La Trilogía de Teatro Norteamericano devino un auténtico fenómeno, recibido con aplausos, debates, premios y fabulaciones propias de una genuina leyenda urbana. Parecía increíble que tal cosa sucediera en Cuba, a pocos años de que, por ejemplo, en la revista *Tablas* una importante crítica comentara acerca de un espectáculo de Lindsay Kemp, que había presenciado en el Festival de Teatro de Caracas de 1983: «estamos en contra de la ideología y la moral homosexual que recorre el espectáculo», a pesar de sus valores estéticos. Era un hecho que se conectaba con las libertades que otras manifestaciones, no solo artísticas, estaban reclamando en Cuba. La Trilogía se presentó a teatro lleno, y desató una controversia que hasta el día de hoy acompaña a Teatro El Público, el grupo que finalmente Carlos Díaz logró tener como suyo a partir de 1992. El empleo del desnudo, femenino y masculino, es una de las constantes de su poética, así como el travestismo, la lectura radical y actualizada de los clásicos, o el solicitar nuevos textos a noveles dramaturgos. Otros espectáculos de su compañía, como *El Público*, de 1994, *La Celestina*, de 2001, o *Noche de reyes*, de 2015, son varios de los ejemplos que pueden citarse en su repertorio, como prueba de que el intérprete desvestido ha sido, para este director, un dispositivo constante de juegos y provocaciones hacia la platea.

Justo en 1992, cuando Carlos Díaz estrenaba *Las criadas*, el primer montaje de Teatro

El Público, Vivian Martínez Tabares le achacaba, jocosamente, en las notas al programa del espectáculo, toda la culpa por los efectos secundarios que la Trilogía había desplegado en la escena nacional:

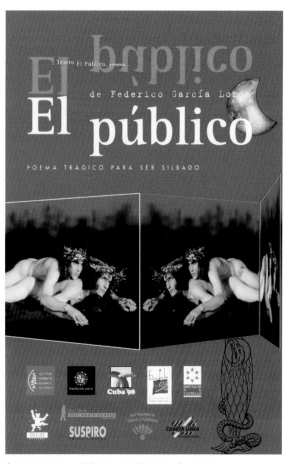

Cartel de la obra *El Publico* de Federico García Lorca

Y después —¿quién iba a decirlo?— sin apagarse los ecos de *Un tranvía...* generaste una oleada de epígonos. Soluciones, recursos y atmósferas de tus puestas despertaron nuevos aires y hallazgos en montajes de tus propios maestros —y de otros que no lo fueron, con menos fortuna, en un interesante fenómeno de interinfluencias del que creo los protagonistas no tienen total conciencia. Al mismo tiempo, temas tabúes de la vida social que desenmascaraste al elevarlos a categoría escénica se han convertido en una peligrosa moda que transforma las tablas en tribuna banal.

Es la consecuencia lógica de cualquier elemento de veras renovador: no pocas fueron las variantes de *La cuarta pared*, o de algún espectáculo del Odin Teatret, tras su visita a la Isla en 1989 con *Judith*, bajo la dirección de Eugenio Barba.

De toda esa marejada de desnudos que sigue hasta el día de hoy en el teatro cubano, ¿qué queda? Mencionar todos y cada uno de los ejemplos que siguieron a ello es prácticamente imposible. Lo cierto es que el hecho también se había ido trasladando a festivales y aun a provincias, rompiendo tabúes y desatando otras polémicas. Cuando se estrena *Asamblea de mu-*

jeres, en el Cabildo Teatral Santiago, dirigido por Ramiro Herrero en 1988, las actrices dejaban ver sus senos como referencia a la estatuaria griega, y eso desencadenó algún revuelo. En 1988, al presentarse con *Yo tengo un brillante*, sobre el texto de Nicolás Dorr, en el I Festival Nacional del Monólogo, la veterana Elena Huerta no dudó en cerrar su aparición con un desnudo. En *Las perlas de tu boca*, de Teatro Buendía, se recuerda varios desnudos de aquellos actores jóvenes y hermosos que integraban la pujante compañía liderada por Flora Lauten. Un ejemplo curioso y olvidado, raro en el teatro para niños, fue *Simplemente amor*, dirigido por Mario Guerrero con el Guiñol de Camagüey, cuyo título original es *De por qué la oruga se fue a la guerra*, escrita por Eddy Díaz Souza, en 1990, en el que se veían cuerpos desnudos, velados tras cortinas de gasa, impensables para una representación destinada a los infantes. También en Santiago se estrena *Yepeto*, la conocida obra del argentino Roberto Cossa, en 1992, que incluye un breve desnudo masculino.

El resto de la década del 90 estuvo llena de transformismo y desnudos, a veces, como indicaba Vivian Martínez Tabares, sin demasiado orden ni concierto, y también, a ratos, por encima de obstáculos y ridículas prohibiciones. Maestros y discípulos echaron mano a ambos recursos, y es así que figuras notables como José Milián o Pepe Santos, provenientes de la década del 60, apelaron a ello. Una versión de *La mandrágora*, del grupo Rita Montaner, no se quedaba atrás, ni tampoco una *Electra Garrigó* que en 1992 dirigió Miguel Montesco, con un innecesario desnudo de Jorge Perugorría (Orestes) al cierre del montaje. Abelardo Estorino, cuando replanteó su obra *Vagos rumores*, a partir de la figura del poeta matancero José Jacinto Milanés, no dudó en desnudar a Alfredo Alonso. En 1997 surgió El Ciervo Encantado, importante compañía bajo la conducción de Nelda Castillo, y en su primer espectáculo, que tomó el título del cuento de Esteban Borrero que también dio nombre al colectivo, Ana Domínguez encarnaba la figuración de una aborigen, completamente desnuda, como antesala de otras figuraciones que El Ciervo… seguiría generando en su inquietante revisión de lo cubano, mediante espectáculos como *Variedades Galiano* o *Rapsodia para el mulo*. Carlos Celdrán, discípulo como Nelda Castillo de Flora Lauten, al frente de su Argos Teatro ha sido más cauto en este sentido, pero dejaba a la vista el cuerpo sin ropas de su Segismundo (Alexis Díaz de Villegas, uno de los actores de *La cuarta pared*) en *La vida es sueño*, de 2000. "El lobo, el bosque, el hombre nuevo", cuento de Senel Paz que llegó al cine como *Fresa y chocolate*, desató varias versiones escénicas desde 1991, incluida la que en 1998 creó Carlos Díaz, con uso desenfadado del cuerpo masculino al descubierto, y que se presentó en España, Colombia y Venezuela. Para muchos, esa imagen en el teatro de la Isla, que contrastaba con las noticias de crisis general que se leían en la prensa extranjera acerca del Período Especial, resultaba sorprendente.

Vagos rumores, Compañía Hubert de Blanck

Con el tiempo, el desnudo se ha hecho menos sorprendente en la escena cubana. A estas alturas, sigue viva la discusión acerca de su empleo, gratuito o no, cada vez que sube a las tablas. Tony Díaz, con su Mefisto Teatro, apeló en varios espectáculos a cuerpos desvestidos de sus actores y actrices. Rindiendo tributo a

los títeres de los Camejo y Carril, el Teatro de las Estaciones presentó *La virgencita de bronce*, en el 2005, a partir de la gran novela cubana del XIX, *Cecilia Valdés*, dejando que sus protagonistas gozaran eróticamente en esta adaptación para público adulto, al que otros grupos han seguido con representaciones gráficas de coitos y escaramuzas titiriteras. Desde la danza, la *performance*, la mezcla irreverente de estilos y fórmulas, el cuerpo desvestido ha ido ganando espacio en diversas áreas de representación. La continua llegada a eventos como el Mayo Teatral o el Festival de Teatro de La Habana de grupos extranjeros que trabajan sobre el desnudo como un elemento asumido en sus poéticas, ha conseguido alejar tabúes y rechazos, que si bien siguen operando en alguna zona del público, ya son recibidos con mayor naturalidad en ese sitio de libertad diferida que es el escenario. De ahí que mientras un grupo ya fogueado como Teatro El Público articuló sobre un cuerpo sin ropas su estreno en cartelera: *Dudo*, de la francesa Marie Fourquet; una agrupación más joven, como Ludi Teatro, también presentaba a sus seguidores varios cuerpos desvestidos en un montaje como *Bosques*, dirigido por Miguel Abreu sobre texto de Wajdi Mouawad. Sospecho que entre los posibles escandalizados ante tales "desparpajos", estarían aquellos primeros cronistas que vieron con espanto la desnudez de los habitantes de la Isla, en esos días remotos de la colonización. O quién sabe si alguno de sus descendientes.

La progresiva apertura sobre los temas de la diversidad sexual, impulsada por las campañas del Cenesex y otros activistas, es una batalla aún en movimiento, en un país cuya televisión sigue mostrándose reticente ante el abordaje de esos temas en sus producciones nacionales o que transmite con cortes series y filmes extranjeros que incluyen escenas eróticas o atrevidas, según quien las vea y apruebe. Cierro estas páginas agradeciendo a muchos de los que me brindaron sus testimonios para narrar una historia semioculta (como tantas otras por

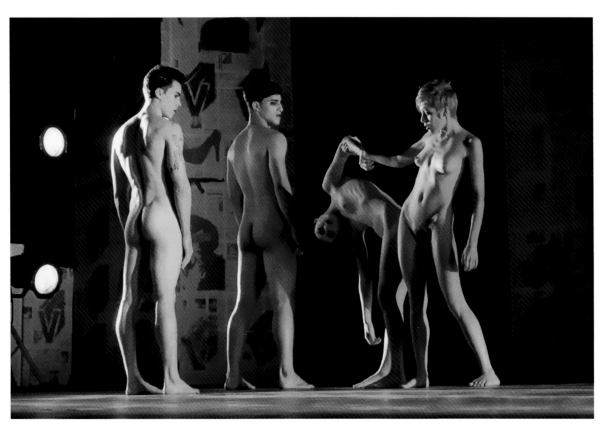

Antigonón, un contingente épico, compañía El público.

contar aún) del teatro cubano, a la que podrían añadirse muchos otros títulos y anécdotas. Y con la visión de los cuerpos de *Antigonón, un contingente épico*, puesta en escena de El Público con la cual Carlos Díaz demostró en el 2014 que puede desvestir cuerpos para hablar de la memoria, la Patria, el dolor de la Nación, sin necesidad de subrayar cargas solamente eróticas, como un tributo a la escultura monumentaria que es parte de nuestra Historia. Y con los cuerpos masculinos de *Baquestribois*, montaje reciente de Osikán Plataforma Escénica Experimental, montaje de José Ramón Hernández que, en el otro extremo, trabaja a conciencia sobre lo árido y lo hiriente para mostrar al espectador varias aristas de la prostitución masculina en La Habana: paisajes desnudos de una Cuba en la cual el cuerpo, bajo las luces de la tramoya, también dice y goza su parte de reto, de belleza y de verdad.

NORGE ESPINOSA MENDOZA (Santa Clara, 1971) . Escritor cubano. Graduado de la Escuela Nacional de Teatro en 1992. Desde adolescente se vinculó a grupos teatrales y talleres literarios, obteniendo premios y menciones en concursos provinciales y nacionales. En 1989 obtiene el Premio de poesía *El Caimán Barbudo* con su primer cuaderno: *Las breves tribulaciones* editado en 1993 por Ediciones Capiro.